D1083757

# El Mayor Monstro los Çelos

# EL MAYOR MONSTRO LOS ÇELOS

*A Critical and Annotated Edition from the Partly Holographic Manuscript of D. Pedro Calderón de la Barca*

*Edited by* EVERETT W. HESSE

The University of Wisconsin Press

MADISON, 1955

MGE

74006
862.35
H587M

Published by the University of Wisconsin Press, 811 State Street, Madison, Wisconsin

Distributed in Canada by Burns and MacEachern, Toronto

Printed by N.V. Drukkerij G. J. Thieme, Nijmegen, Netherlands

Library of Congress Card Number: 54-6739

*To the memory of*
*Harry Clifton Heaton*

1885–1950

# Preface

The paucity of critical editions of Calderón's dramas published in the United States is truly startling, especially when compared with the abundant annotated texts of Lope's plays. The Morel-Fatio edition of *El mágico prodigioso* in 1877 provided an impetus and a model for editors of *comedias* in various countries. The few editions published in this country have, on the whole, left much to be desired.

*La selva confusa*, a mediocre play long regarded as Lope's, did not appear on the list compiled for the Duke of Veragua. The work was rescued from oblivion in 1909 by George T. Northup, who published an edition based on the autograph manuscript. *Troya abrasada* and *Los yerros de naturaleza*, both edited by Northup in 1913 and 1930 respectively, are of divided paternity. *La española de Florencia*, edited by S. L. Millard Rosenberg in 1911, is probably not by Calderón. Dorothy Porter Cummings submitted a carefully prepared edition of *El secreto a vozes* as a doctoral dissertation to the Ohio State University in 1933, where it has remained in the archives of the library unpublished. In 1938 José M. de Osma of the University of Kansas brought out his edition of the same play and in 1950 an *auto sacramental*, *El verdadero Dios Pan.*

A number of school texts have appeared, including one of *El alcalde de Zalamea* in 1918 by James Geddes which elicited one of the bitterest and most mordant reviews ever made of any edited work in the Spanish field. (See *Mod. Lang. Notes*, XXXIV [1919], 420–29; 482–92.) Geddes also edited *El mágico prodigioso* in 1929. An excellent edition worthy of praise is *Three Plays by Calderón* edited by Northup in 1926 with the assistance of the members of his Calderón seminar. Another well edited school text of a Calderonian play is *No siempre lo peor es cierto* by John M. Hill and Mabel Margaret Harlan in their *Cuatro comedias* (New York, 1942).

The edition of *El mayor monstro los çelos* offered herewith was conceived in 1941 when I was comparing the Vera Tassis' texts of the first four *partes* with their originals (1636–72). At that time I realized that Vera Tassis must have used a defective text or manuscript when he came to *El mayor monstro los çelos* for, as he himself says, it was quite different from the one found in the original. After obtaining photostats of the partly autograph manuscript and of the eighteenth-century manuscript copy, I interrupted work on this edition because of service in the navy. Later the task progressed slowly because of the difficulty of deciphering various portions of the partly holographic manuscript.

The present edition aims to present a faithful reproduction of the text of the partly autograph manuscript found in the Biblioteca Nacional. The original orthography with all its inconsistencies has been rigidly preserved. The whimsical and arbitrary punctuation, capitalization, and accentuation have been modernized. Abbreviations have been resolved and the letters added appear in brackets. The only exception is the character names, which have been spelled out. In the notes no attempt has been made to modernize the punctuation, capitalization, and accentuation of the eighteenth-century manuscript copy or of the printed editions.

The common practice of inserting variant readings in the footnotes has not been followed. Their excessively large number would, in some instances, occupy more space than the text itself, and would, moreover, mar the typographical appearance of the printed page. Instead I have chosen to relegate them along with other notes to the last part of the book.

I wish to express my deep appreciation to Dr. D. Luis Morales Oliver, Director of the Biblioteca Nacional, for his kindness in allowing me to examine the partly autograph manuscript; to Rev. D. Pedro Longás Bartibás, Chief of the Division of Manuscripts of the Biblioteca Nacional, for his valuable assistance in deciphering some of the almost illegible portions of the manuscript; to the late Dr. H. C. Heaton of New York University and to Dr. D. Angel Valbuena Prat of the University of Murcia, for their painstaking examination of the typescript and their sage counsel during the preparation of this edition.

E. W. H.

*Madison, Wisconsin*
*September, 1953*

# Contents

## ILLUSTRATIONS



## TABLES

# INTRODUCTION

EL MAYOR MONSTRO LOS ÇELOS
March 30, 1955

ERRATA

Page 23, line 26: Delete period after astros
Page 41, v. 56: Read quién for quien
Page 58, v. 730: Read su for sy
Page 60, v. 770: Delete final period
Page 64, v. 927: Delete comma after andubiste
Page 73, last line of first stage direction: Read abrá for abra
Page 78, v. 1384: Period for comma after evidençia
Page 94, v. 1978: Read oýrlas for oyrlas
Page 99, v. 2152: Read oýr for oyr
Page 100, v. 2155: Read oýrme for oyrme
Page 109, v. 2475: Read aquella for aquélla
Page 111, v. 2533: Read oýrte for oyrte
Page 115, v. 2660: Read Está for Esta
Page 121, v. 2886: Period after deseoso
Page 131, v. 3254: Period for comma after pudiera
Page 136, v. 3413: Read traýdo for traydo
Page 152, n. 393, first line: Read ancient for acient
Page 154, n. 1002: Read cándidos for candidos
Page 159, n. 1868-76, line 30: Read (¡ay de mí !) for (¡ay de mí)
Page 190, n. 1268-70, line 2: Read un for nu
Page 220, n. 2800-2831, line 5: Read Arist. Polidoro, pues que es esto? for Arist. Polidoro, pues que esto?
Page 242, n. 1045-53, line 4: Read silencio for silencia

## *The Partly Holographic Manuscript*

THE manuscript from which the present edition has been prepared is Number 79 in the section of manuscripts of the Biblioteca Nacional. It consists of 73 unnumbered folios in quarto and includes one blank folio following Folio 69 verso. It contains several characteristics usually found in the manuscripts of Golden Age plays. Each act begins with a pious invocation at the top of the folio. Acts I and II begin with "Jesus, Maria, Joseph," while Act III opens with "JHS Maria Joseph." In the upper left corner of Folio 1 recto there is a notation which reads "Calderon/la nueva."

There is a list of characters and actors preceding Act I. The acts are of unusual length: Act I contains 1208 lines (Folios 1 recto–22 verso); Act II, 1219 lines (Folios 23 recto–45 recto); and Act III, 1204 lines (Folios 46 recto–71 verso).

There is evidence to indicate that the manuscript was, at one time or another, in the possession of an *autor* or an actor. Numerous passages have been bracketed, boxed off, or otherwise marked for deletion. This is understandable in view of the play's great length—3621 lines. Crude sketches of drums and other markings are interspersed in the margins, designed, no doubt, to warn the prompter of an impending stage direction. A cross is used at times to denote the entrance and exit of characters.

At the end of Act I is the *remisión* to the *censura* and the *fiscal*, dated at Madrid, September 30, 1667. Next are two *aprobaciones*, the first signed by D. Francisco de Avellaneda and dated at Madrid, October 2, 1667. The second is by D. Fermín Sarasa y Arce, Madrid, October 6, 1667. Finally, there are two *licencias* for performance, one dated October 8, 1667, and the other April 21, 1672, both given in Madrid and rubricated. At the end of the third act there is another *remisión* to the *censura* and *fiscal*, dated April 21, 1672, and the *aprobación* of D. Francisco de Avellaneda is dated April 23, 1672.

According to Paz y Melia,[1] the first two acts contain correc-

1. Antonio Paz y Melia, *Catálogo de las piezas de teatro que se conservan en el departamento de manuscritos de la Biblioteca Nacional* (segunda edición; Madrid, 1934), I, 345–46.

tions made in Calderón's hand. The third act is an autograph with the exception of the last four folios. On about three folios toward the end of Act III the lines of the text are almost completely barred out. Folio 71 verso is a copy of Folio 69 recto and verso. Folio 72 recto repeats about nine lines of Folio 71 verso. The ink has penetrated the paper of some of the folios and appears on the reverse side, thus making them extremely difficult to decipher.

Act III, which Paz y Melia claims is in Calderón's hand, has been compared with photostatic specimens from *El secreto a vozes* (1642) and *Basta callar* (1652) in order to verify its authenticity.[2] Although thirty years had elapsed between the writing of *El secreto a vozes* and Act III of *El mayor monstro los çelos* (dated 1672), the handwriting has not changed appreciably, considering the fact that Calderón followed Pedro Díaz Morante's school of writing in his earlier period and José Casanova in his later.[3]

A study of Calderón's chirography as it appears in Act III reveals certain characteristics already found in previous manuscripts with which it has been compared. The handwriting slants slightly to the right. The pen-lift may occur at the end of a word or within a word. Sometimes several words are written together without a pen-lift. The individual letters discussed in detail below are illustrated in Plate I. A folio is reproduced in Plate II.

### THE MAJUSCULES

Capitals are used sparingly, except in the title, the pious inscription, and the headings.

The *E* starts with a small loop over the top of the letter and ends in a large crescent stem.

2. Reproductions of Calderonian calligraphy will be found in Angel Valbuena Prat, *Literatura dramática española* (Barcelona, 1930), p. 204; Narciso Díaz de Escovar y Francisco De P. Lasso de la Vega, *Historia del teatro español* (Barcelona, 1924), I, 182; S. N. Treviño, "Nuevos datos acerca de la fecha de *Basta callar*," *Hisp. Rev.*, IV (1936), 333, and "Versos desconocidos de una comedia de Calderón," *PMLA*, LII (1937), 682–84; Dorothy Porter Cummings, "*El secreto a vozes* of Don Pedro Calderón de la Barca—An Edition with Introduction and Notes of the Autograph Manuscript of 1642" (unpublished Ph. D. dissertation, Ohio State University, 1933), inserted before pp. 1, 56, 66, 203.

3. See Angel Valbuena Prat (ed.), Calderón's *Comedias religiosas* (Clásicos Castellanos ed.; Madrid, 1930), Prólogo to Vol. I: *La devoción de la cruz y El magico prodigioso*, p. 13, n. 1; and Emilio Cotarelo y Mori, *Ensayo sobre la vida y obras de D. Pedro Calderón de la Barca* (Madrid, 1924), p. 118, n. 1.

| Miniscules | | Miniscules | | Majuscules | |
|---|---|---|---|---|---|
| d |  en deydad | p |  pero | E |  El |
| f |  ynfamia | r |  por ser | D |  Del |
| f |  satisfe[ch]o | s | 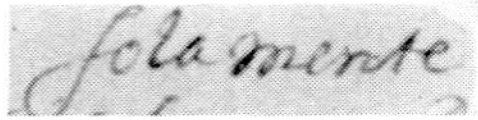 solamente | H |  Hago |
| i | 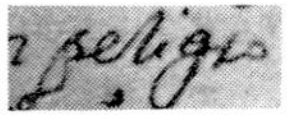 peligro | s |  esta | J |  Joyas |
| i |  viendo | s |  braços | M |  Mar |
| j |  deja | u, v |  vna | P |  Pol. |
| l |  la cara | y |  ynterponeis | R |  Rey |
| l |  del | y |  tuya | T |  Tolom. |

Plate 1: Chirographic Specimens

Cap. Tercero.

Cuido el bronce, Propagado el Estruendo.
A la ciudad en orden marchemos.

Otab. Salve oh gran metrópoli de Occidente — La Salva y
Jerusalén divina — Salen a Otab.
Salve oh emperatriz de Palestina — No cantan
y del Asia señora — y Soldados
que en el [illegible] ympero del aurora
con [illegible] voz muda
El sol en su primera Hora saluda
Salve otra vez y admite
sucesor, cuyo nombre que competir
al tiempo [illegible]
dos veces al sacrol [illegible]
[illegible], uno
a favor del valor y la fortuna
Tolio por mis blasones
a pesar de [illegible] se [illegible]
pues quando [illegible]
que del romano yugo [illegible]
la cerviz con aver oy [illegible]
a Aristóbolo en tanto león [illegible]
allí [illegible] te traerá
yo como en fin caudillo de la parcial
aviéndole encontrado en el camino
la fuerza del destino
dejado le su armada
[illegible] de [illegible]

Llego allí, donde yntento
que el primer escarmiento
que de muera [illegible] vea
Al tu te traerá la cabeza fea
a cuyo fin por mas ynfeliz suerte
su vida dilate porque su muerte
se de terror mas fiero
y [illegible] al filo [illegible] a cero
[illegible] camino [illegible] trayendo
[illegible] el [illegible]
que profano [illegible]
De ese [illegible] donde — y vaxeles [illegible]
mas le [illegible] que le conde
Al [illegible] con el [illegible]
que [illegible] por [illegible] a mí engañarás
a [illegible] mas que con [illegible]

[illegible] — La música y [illegible]
[illegible] en una
parte se escucha quando en otra alguna
[illegible] toca destemplados
repitiendo en contrados
allí con voz altiva

Música y voz) Viva [illegible] viva
Otav. [illegible] con voz se [illegible]
Thom. Y muera yo, donde [illegible]

Cap. A la ciudad advertoys
[illegible] señor, [illegible]
que [illegible]
[illegible]
que por una [illegible]

The stem line of the *D* starts with a short hook from the left, forms a bow at the bottom, and then makes a semicircular arc.

The *H* begins with a hook from the upper left and is followed by a downstroke slanting slightly to the right and ending in a hook. The crossbar starts from about the middle of the first downstroke and ends in a pen-lift. The last downstroke parallels the initial downstroke and likewise slants to the right.

The *J* is distinguished by a head-curve, a long foot-curve, and a heavily shaded vertical rod.

The first stroke of the *M* begins with a hook from the left and ends in a loop to the left at the bottom. It is more decorative than the rather plain *M* of the other acts.

The *P* has a long vertical stem looped at the bottom in the upstroke which sweeps the top in a large arc and terminates in a loop. The *B* is formed like a *P* with the addition of another loop at the bottom.

The *R* has a small loop to the right at the base of the stem, then a large curve to the right on the upstroke. The descending stroke never touches the stem. This *R* is often found in initial position in a word within a sentence where a lower case would normally be expected.

The *T* often has a small loop on the left of the horizontal stroke and sometimes ends in a tail which curls to the left. The entire letter is made apparently without a pen-lift.

THE MINISCULES

The *d* generally has a small body with a head-loop. Sometimes the body of the letter is open at the top and the terminal upstroke sweeps to the left.

The *f* has a slanting stem with a head-loop to the right and a horizontal bar. Sometimes the stem terminates in a slight hook to the left and the crossbar is joined to the letter following.

The *i* is a diagonal stroke with either a dot or a curved accent.

The *j* (undotted) usually extends well above the line and ends in an infralinear loop.

Several varieties of *l* have been found: first the long slanted initial *l* that starts from a supralinear loop and terminates with almost no bottom loop; next the single or double *l* with no supralinear loop; and finally the looped *l* occurring usually in the double *ll*.

The *p* has a long infralinear downstroke with a small loop to the right at the base. In the upsweep the stroke concludes with an oval head.

The *r* usually consists of a short vertical minum, with or without a rounded head-curve, and a short, curved horizontal headpiece to the right of the stem. Sometimes it has no head-curl and terminates with a right-handed upstroke.

Several varieties of *s* have been noted. Frequently initial *s* consists of a perpendicular shaft and a small serif (to the right of the stem) which serves as a head. The stem ends in a large infralinear bow or loop sweeping to the left. Final and medial *s* have a small bow at the top (or none at all) and a final infralinear downstroke terminating in a small hook or loop. Another variety of *s* is a kind of perpendicular stroke with a slight hook on the head and tail. Again we find a rounded modification of the *s*.

The *u* and the *v* are many times undistinguishable. Calderón often uses the *v* at the beginning of a word and the *u* within a word.

The *y* is usually supralinear, especially in initial position. Within a word the tail sweeps obliquely to the left and ends in a hook.

The handwriting in Acts I and II differs from that in Act III in the following ways:

The stem line of *D* has no bow at the base as in Calderón's writing. The *d* often lacks the head-loop.

The *f* is made with a heavy downstroke in the stem.

In Act I the *J* often lacks the upper and lower loops. It begins with an oblique line from the left. The stem ends in an elongated tail to the left. In Act II the tail ends in a hook. Another variety contains the upper loop only, the downstroke ending in a tail.

The *M* is much simpler, lacking the initial decorative stroke from the left.

The *P* occurs in a variety of forms, one of which faintly resembles Calderón's.

The initial *r* found in Act II is distinguished by an elongated stroke in the form of an extended arc to the right of the stem.

The *y* may be linear with a hooked tail to the left or with no hook at all in the tail.

The *z* is linear in Acts I and II, while in Calderón it is infralinear.

It is difficult to say with any degree of certainty whether the few corrections found in Acts I and II are in Calderón's hand. It can easily be demonstrated that some of the letters resemble those of Act III, while others could have been written either by Calderón or by another scribe. The corrections on page lv, for example, are not a little suspect to the novice in Calderonian calligraphy. The phrase *por el biento* contains letters which give the impression of having been printed. The *p* and *r* of *por* do not bear the least similarity to Calderón's writing of those letters elsewhere.

## *Editions and the Eighteenth-Century Manuscript Copy*

1. Although the partly autograph manuscript bears, in the documents at the end, the dates 1667 and 1672, the play had already appeared in printed form as early as 1637 in the *Segunda parte* with the title *El mayor monstruo del mundo*.[4] It had been composed, according to Hilborn, around 1634.[5] An examination of the variants reveals that the manuscript differs markedly from the first and subsequent printed editions. Apparently the play underwent a considerable amount of editing and suffered mutilations by actors, printers, copyists, managers, and others who were connected with its publication or production. That the text of our play had been tampered with is substantiated by the remarks of Polidoro in the closing lines of Act III of the manuscript (and of edition D described below):

4. The title page of this edition as well as the other editions of the *Segunda parte*, their location, and appropriate matters relative to this *parte* will be found in H. C. Heaton, "On the *Segunda Parte* of Calderón," *Hisp. Rev.*, V (1937), 208–24. See also my article, "The Publication of Calderón's Plays in the Seventeenth Century," *Philological Quarterly*, XXVII (1948), 37–51.

5. Harry W. Hilborn, *A Chronology of the Plays of D. Pedro Calderón de la Barca* (Toronto, 1938), pp. 21, 26–27, 34.

> Como la escribió su autor;
> no como la ynprimió el vrto,
> de quien es su estudio echar
> a perder otros estudios. (vv. 3629–32)

The dramatists of the period complained often that their plays had been cut down, scenes and lines changed or omitted. These matters of text corruption are familiar to students of the *comedia.*[6] In the prologue to his *Cuarta parte de comedias*, published at Madrid in 1672, Calderón complained of the numerous textual changes made in his plays published prior to that time.[7]

This edition of 1637, like the next two, had been cut down and several scenes had been omitted. In Act II the prison scene in which Polidoro is maltreated by the soldiers had been deleted. It is restored in the Vera Tassis edition and is found in both manuscripts.

This edition is designated in the list of variants as A.

2. The next printing was in the second edition of the *Segunda parte*, which also bears the date 1637.

According to H. C. Heaton, this was probably the text used by Vera Tassis in preparing his edition of the *Segunda parte.*[8] While this edition of our play corrects some of the mistakes of A, it also abounds in errors.

It is designated in the list of variants as B.

3. The third edition is that of the *Segunda parte* of 1641.[9] This edition follows closely the *princeps* and introduces only a few variants, usually misprints.

It is designated in the list of variants as C.

Except for minor differences in text (usually arbitrary changes, and misprints), these three editions, A, B, C, agree.

4. Shortly after Calderón's death in 1681, the self-styled "mayor amigo," Juan de Vera Tassis y Villarroel, undertook the publication of all the *comedias* based on the "originals."

6. Cf. H. A. Rennert, *The Life of Lope de Vega* (Glasgow, 1904), pp. 151, 156; and George Ticknor, *History of Spanish Literature* (London, 1849), II, 278, n. 32.

7. See my article, "The First and Second Editions of Calderón's *Cuarta Parte,*" *Hisp. Rev.*, XVI (1948), 209–37.

8. H. C. Heaton in *Hisp. Rev.*, V (1937), 209–10; 223, n. 27.

9. *Ibid.*, p. 210.

Vera Tassis published his edition of the *Parte segunda* in 1686. In the preliminaries he states:

Continuando con el preciso empeño de mi amistad, hize riguroso examen de las Comedias que contiene esta Segunda Parte, y hallando diminutas las mas, y defectuosas todas, passé a corregirlas por sus originales, algunos de la mano de su Autor; otros, por adulterados, de agena letra. La que en la antigua Impression deste libro se intitulaba, *El Mayor Monstruo del Mundo*, la encontré muy otra en el contexto, y el titulo, como lo es el de *El mayor Monstruo los Çelos*, y el argumento como en este se leerá....

The fact that the order of plays in the Vera Tassis edition of the *Segunda parte* is different from that in the previous editions may not be without significance.[10] The last play in his volume is our play under the new title *El mayor monstruo los çelos*. Is it possible that Vera Tassis was delayed until the last minute in his search for the manuscript with the correct version of Act III?

On the basis of what we now know, it seems safe to conclude that Vera Tassis made use of the partly autograph manuscript in preparing his edition of this play, for there are several scenes omitted in A, B, and C which appear in the manuscript and in Vera's edition. Furthermore, the ending of Act III in this edition agrees with that found in the manuscripts. It is also apparent that Vera Tassis has taken unwarranted liberties with the text by introducing many changes of an arbitrary nature not found in the manuscript or in any early edition.[11]

This edition is indicated in the list of variants as D.

10. The order of plays is as follows:

| *Segunda parte* (ABC) | | Vera Tassis |
|---|---|---|
| 1 | *El mayor encanto amor* | 1 |
| 2 | *Argenis y Poliarco* | 5 |
| 3 | *El galán fantasma* | 2 |
| 4 | *Judas Macabeo* | 3 |
| 5 | *El médico de su honra* | 4 |
| 6 | *Origen, pérdida y restauración de la Virgen de Sagrario* | 6 |
| 7 | *El mayor monstruo del mundo* | 12 |
| 8 | *El hombre pobre todo es trazas* | 7 |
| 9 | *A secreto agravio, secreta venganza* | 8 |
| 10 | *El astrólogo fingido* | 9 |
| 11 | *Amor, honor y poder* | 10 |
| 12 | *Los tres mayores prodigios* | 11 |

11. Further evidence of arbitrary changes made by Vera Tassis will be found in E. W. Hesse, *The Vera Tassis Text of Calderón's Plays* [*Parts I–IV*] (abridgment of Ph. D. dissertation, New York University; Mexico City, 1941).

5. In the Biblioteca Nacional in Madrid there is a manuscript copy of *El mayor monstruo los çelos*, which, though undated, is, according to Paz y Melia, in the handwriting of the eighteenth century. It bears on the first page the intriguing notation "mejor que la impressa," written in a different hand. It follows the partly autograph manuscript more closely than any other text yet found. But like most of the others, it too has undergone editorial changes, most of which are arbitrary.

6. A number of *suelta* editions of the play made their appearance during the seventeenth and eighteenth centuries:[12]

*a) El mayor monstruo del mundo.* Valencia: Lamarca, n.d.
*b) El mayor monstruo los çelos.* Sevilla: Haro, n.d.
*c) El mayor monstruo de el* [*sic*] *Mundo.* (Series No. 242.) Sevilla: Leefdael, n.d.
*d) El mayor monstruo los çelos.* (Series No. 242.) Sevilla: Impr. Real, n.d.
*e) El mayor monstruo los çelos.* Sevilla, n.d.
*f) El mayor monstruo los çelos.* (Series No. 87.) N.p., n.d.
*g) El mayor monstruo los çelos.* Salamanca: Impr. de la Santa Cruz, n.d.
*h) El mayor monstruo los çelos.* N.p.: Montaner y Simon, n.d.
*i) El mayor monstruo los çelos.* Madrid: Antonio Sanz, 1746.
*j) El mayor monstruo del mundo.* (Series No. 87.) Madrid: Sanz, 1751.
*k) El mayor monstruo los çelos.* (Series No. 19.) Barcelona: Suriá, 1763.
*l) El mayor monstruo los çelos.* Valencia: Orga, 1769.
*m) El mayor monstruo los çelos.* (Series No. 142.) Valencia: Orga, 1769. Apparently *l* and *m* are two different printings by Orga.
*n) El mayor monstruo los çelos.* Barcelona, 1790.
*o) El mayor monstruo los çelos.* [Madrid]: Quiroga, n.d.

Most of the above *suelta* editions derive from the defective Vera Tassis text.

12. These have been checked against the list published by Ada M. Coe, "Unas colecciones de comedias sueltas de Pedro Calderón de la Barca comparadas con *Literatur, eine bibliographisch-kritische Übersicht* de H. [Hermann] Breymann (München, 1905)," *Estudios*, VII, No. 19 (enero-abril, 1951), 111–69.

7. *El mayor monstruo los çelos* was also reprinted in the Apontes edition of Calderón's plays published in Madrid 1760–63; it is found in Volume V (1761). This edition also follows the Vera Tassis text.

8. *El mayor monstruo los çelos*. Madrid: Quiroga, 1801.

9. *El mayor monstruo los çelos* in *Biblioteca portátil de clásicos españoles*. Zwickau, 1819.

10. *El mayor monstruo los çelos* in *Comedias escogidas de D. Pedro Calderón de la Barca*. Madrid, 1826–33. Vol. II (1828).

11. *El mayor monstruo los çelos* in *Las comedias de D. Pedro Calderón de la Barca cotejadas con las mejores ediciones hasta ahora publicadas, corregidas y dadas a luz por Juan Jorge Keil*. Leipsique, 1827–30. Vol. I (1827).

12. *El mayor monstruo los çelos* in Eugenio de Ochoa, *Tesoro del teatro español*. Paris, 1838. Vol. III. This is a reproduction of the Keil edition.

13. *El mayor monstruo los çelos* in *Las comedias de D. Pedro Calderón de la Barca*. Edición cubana corregida y aumentada. Habana: Impr. de R. Oliva, editor, 1840. Tomo II.

14. *El mayor monstruo los çelos* in *Biblioteca de autores españoles. Colección hecha... por D. Juan Eugenio Hartzenbusch*. Madrid. 1848. Vol. VII.

15. *El mayor monstruo los çelos* in M. Menéndez y Pelayo, *Teatro selecto de Calderón de la Barca precedido de un estudio crítico*. Madrid, 1881. Tomo II.

16. *El mayor monstruo los çelos* in *Teatro de Caldrón de la Barca con un estudio crítico por García Ramón*. Paris: Garnier, 1882. Tomo II.

17. *El mayor monstruo del mundo* in *Obras completas, textos íntegros... que saca a luz Luis Astrana Marín*. Madrid: Aguilar, 1932. This edition seems to derive partly from A, B, and C, and partly from D.

18. *El mayor monstruo del mundo* together with *El príncipe constante*. (Colección Austral Series, No. 496). Buenos Aires and Mexico City: Espasa-Calpe, 1945.

## *Synopsis of the Play*

### ACT I

Mariene, wife of the Tetrarch of Jerusalem, is sad over the prediction made by a Hebrew astrologer that she will perish by her husband's dagger. The Tetrarch tries to allay her fears by branding astrology a pseudo science that foretells only evil. He promises to make her empress of the world once he has caused the defeat of the Roman emperor Octavian. The Tetrarch, in order to execute his nefarious plan, has sent Aristobolo, Mariene's brother, and Tolomeo to aid Anthony in his battle with the emperor. Mariene's continued unhappiness has aroused her husband's jealousy. To assuage his wife's trepidation, the Tetrarch casts his dagger out the window; but instead of falling into the sea it wounds Tolomeo, who had managed to save himself after the destruction of Anthony's fleet.

Octavian, meanwhile, has entered triumphantly into Egypt where he has imprisoned Polidoro (mistaking him for Aristobolo) because of his unsatisfactory explanation concerning the whereabouts of Anthony and Cleopatra. The emperor then learns from Aristobolo (mistaking him in turn for Polidoro) that Anthony had committed suicide when he realized that all was lost, and that Cleopatra, on finding her lover dead, had drunk poison. In a small chest taken from his two prisoners the emperor has discovered a picture of a beautiful damsel of whom he immediately becomes enamored. He promises Aristobolo his freedom if he will identify her; but the latter, realizing the danger in revealing the true identity of Mariene, states it is a picture of a deceased beauty. Octavian then provides Aristobolo with men and weapons to capture the Tetrarch, for in a letter found in the chest he has been apprized of the Tetrarch's ambition to usurp the crown.

Back in Jerusalem, the servant Libia's sadness over Tolomeo's wounds is equaled only by Mariene's despair. The Tetrarch is madly in love with his wife and, fearful lest his dagger be the cause of her death, he lays it at her feet. But Mariene refuses to take it, arguing that if he really loves her no harm can befall her even though he has the fateful weapon. Amid a great tumult

Filipo and Libia announce the invasion of Jerusalem by Octavian's forces. The Tetrarch is captured and hustled off to prison for plotting treason against the emperor.

Act II

Octavian, complaining bitterly of the impossibility of a love affair with the beauty whose picture adorns the doorway, chides the soldiers for not forcing Aristobolo to reveal her true identity. A fanfare announces the arrival of the royal prisoner, the Tetrarch, who, as he kisses the emperor's hand, notices a picture of Mariene in the other hand. Octavian upbraids the Tetrarch for his treachery and produces the signed letters to substantiate his charge. He considers the Tetrarch's agitation a sign of his guilt and reminds the ruler of Jerusalem that he is the only Caesar and that he intends to punish whoever seeks to depose him. When the Tetrarch realizes he is doomed, he decides to kill the emperor. Just as he is about to strike Octavian from behind, the picture of Mariene falls and the dagger is thrust into it. For this offense the Tetrarch is cast into prison with Polidoro, who, masquerading as Aristobolo, is about to write a letter to Mariene to effect his liberation. The Tetrarch, suspecting a plot, feigns ignorance and he too calls Polidoro "Aristobolo." When the two prisoners are alone, Polidoro explains what has happened. The Tetrarch talks of committing suicide, but the thought of Octavian's possessing two pictures of Mariene and the oath of vengeance sworn by the emperor preclude this. When Filipo reports that Octavian is preparing to go to Jerusalem, the Tetrarch puts Filipo's loyalty to the test before entrusting to him the letter addressed to Tolomeo, secretly ordering him to slay Mariene in the event of the Tetrarch's death:

> pues no ay amante, o marido
> . . . . . . . . . . . . . . .
> que no quisiera ver antes
> muerta, que ajena su dama.
> (vv. 1920, 1922–23)

The scene then shifts to Jerusalem, where Aristobolo has promised Mariene to fight for her husband's release or die in the attempt. Filipo, masked, delivers the note to Tolomeo. After

Tolomeo has read it, Filipo discloses his identity and asks why one should obey the command of a dead man. Later a lover's quarrel ensues between Tolomeo, Sirene, and Libia. The Tetrarch's note is wrested from Tolomeo. Mariene, who has been eavesdropping, also desires to read it but Tolomeo advises against it. Mariene is adamant, and after learning its contents she warns Tolomeo not to tell Filipo or anyone else that she has read it.

### ACT III

The triumphal entry of Octavian into Jerusalem is interrupted by the procession of a group of women dressed in mourning. Filipo and Tolomeo welcome the emperor, whose joy is dampened by the grief of Mariene over the possible execution of her husband. When Mariene removes her veil, the emperor is amazed to find the woman whose picture he was adoring. After an impassioned speech by Mariene, Octavian spares the Tetrarch's life and even reinstates him in his position of honor. He also pardons Aristobolo for his complicity in the uprising. Finally, he returns Mariene's picture and the Tetrarch is pleased that the secret entrusted to Filipo and Tolomeo has not been divulged.

Mariene reproves the Tetrarch for his jealousy and the order given in a letter that Tolomeo kill her in the event that the Tetrarch dies first. Consequently, she has resolved to live incarcerated with her ladies in waiting like a widow. She forbids her husband to enter her room, threatening to hurl herself from the highest battlement into the sea. The Tetrarch realizes that Mariene must have read the note he had sent to Tolomeo. His jealousy becomes so strong that he vows she will belong to no other.

Tolomeo informs the Tetrarch of how the letter had been snatched from him during a lover's quarrel and had finally reached Mariene's hands. The Tetrarch, blinded by rage, storms after Tolomeo, who flees to the emperor's tent for sanctuary. Octavian is enraged by this intrusion on his privacy, but his anger soon cools when he learns that Mariene is in danger on his account. Tolomeo, having the master key to the garden, promises to take the emperor to the tower that evening where Mariene has imprisoned herself.

Just at the moment when Mariene is about to retire, the emperor enters her room masked. The ladies in waiting take to their heels. Mariene, too, is about to flee but is stopped by Octavian who, revealing his identity, offers to save her from the hands of her tyrannical husband. But Mariene, believing it is better to die innocent than to live guilty, rejects his offer and rebuffs his advances.

When Octavian requests her picture and Mariene refuses to comply, a struggle ensues in which the latter seizes the emperor's dagger to kill herself. But realizing it is her husband's dagger, she drops it and flees as Octavian pursues her.

The Tetrarch enters and infers foul play as he sees Mariene's clothing scattered on the floor. His suspicions are confirmed by the sight of his dagger which he had left with Octavian. At this point Mariene enters with the emperor in pursuit. She extinguishes the lights in order to effect her escape and in the darkness and resultant confusion the Tetrarch kills his own wife, thus fulfilling the prophecy made at the beginning of the play. When lights are brought in, Herod disclaims any responsibility for her death, laying it at the door of "el destino suyo." Then he leaps from the wall to his death. Polidoro concludes the play with:

> Como la escribió su autor;
> no como la ynprimió el vrto,
> de quien es su estudio echar
> a perder otros estudios.
>
> (vv. 3629–32)

## *Sources of the Play and Treatment of the Theme by Other Dramatists*

The world-famous story of Herod's cruel jealousy and suspicion of his wife's infidelity has its roots in historical records. Calderón, altering the facts to suit his purpose, has added a subplot of his own invention and skillfully woven it into the main plot to form one of the most melodramatic plays of Spain's entire Golden Age.

The basic historical sources are *The Jewish War*, I 18–33, and *The Jewish Antiquities*, XV, XVI, XVII, by Flavius Josephus, the Jewish historian. In the years 32–29 B.C., the breach between Anthony and Octavian had widened and soon flared into open hostilities. Anthony had been shamefully carrying on a love affair with Cleopatra while being married to Octavia, sister of the emperor. In the war which followed, Herod had been compelled to side with his friend and patron, Anthony. A great naval battle took place near Actium on September 2, 31 B.C. Cleopatra, fearful of the outcome, fled and her sixty Egyptian war vessels followed her, leaving Anthony's fleet to suffer destruction. Herod, having seen the handwritting on the wall, decided to sign a truce with Octavian at Rhodes. Before undertaking the trip, he entrusted his wife Mariene and her mother Alejandra to his financier Joseph and an agent, one Sohem, with the same order he issued once before, viz., that if he should not return alive, his wife (and also her mother) was to be put to death, lest she be possessed by another. Although Herod had now become one of the richest and most powerful kings allied with Rome, his domestic life was far from happy. Mariene had never reciprocated the passionate love and devotion he felt for her. During his absence she had wormed out of the unsuspecting Sohem the secret that Herod had given orders for her execution if he failed to return. When the Tetrarch returned, successful in his dealing with Octavian, his wife refused to embrace him and, in fact, treated him with an indifference that revealed her hatred of him. Moreover, she violently upbraided him with his nefarious design on her life. Herod immediately jumped to the conclusion that Sohem had been induced to divulge the secret orders because of an adulterous intercourse with Mariene. He was summarily executed and Mariene cast into prison. A tribunal found her guilty and she was subsequently put to death. Afterwards Herod suffered deep remorse and engaged in all manner of wild orgies to distract his thoughts. Alexander and Aristobolus, the two sons of Mariene, were put to death at Herod's command and the Tetrarch himself died of a lingering illness in 4 B.C. after an attempt at suicide had been foiled.[13]

13. *The Jewish Encyclopedia* (New York and London, 1904), VI, 356–60; Frederick W. Farrar, *The Herods* (New York, n.d.), pp. 84–102.

Perhaps the more immediate sources of Calderón's inspiration were the Italian dramas of the middle sixteenth century written by imitators of Seneca. D. C. Stuart believes that the Spanish drama is greatly indebted to the Italian drama with regard to the utilization "of the ideal of honor as dramatic material."[14] Many of these plays take up the questions of infidelity and jealousy and in some cases an innocent wife is slain by a jealous husband on the basis of mere suspicion.[15] One of the best known Italian plays dealing with the story of Herod and Mariene is *Marianna* of Lodovico Dolce, first performed in Venice, May 25, 1565. It follows the historical record more closely than does our play.

In Spain Lupercio Leonardo de Argensola treated the theme in his *Alejandra* written about 1581. It is based, in part, on Dolce's *Marianna*.[16] The *licenciado* Gaspar Lozano Montesinos also handled the theme in his *Herodes Escalonita y la hermosa Mariana*, and in his *Soledades de la vida*. Another minor dramatist, Ripoll Fernández de Ureña, also has a play dealing with the same subject and entitled *El bárbaro Ascalonita y tirano de Judea*. Finally, Tirso de Molina tried his hand with the subject in *La vida y muerte de Herodes*.

Maurice J. Valency, in *The Tragedies of Herod and Mariamne* (New York, 1940), gives a fuller discussion of plays dealing with this familiar theme of tragic drama. The following are either direct translations or adaptations or deal with some phase of the same story:

Spanish

*El Tetrarca de Jerusalén, comedia*. MS dated 1817 in the Biblioteca Municipal of Madrid. A *refundición* in five acts in verse.

Ramón Franquelo y Martínez, *Herodes*. 1872. Two printed editions.

Tomás Luceño. *El mayor monstruo los çelos; tragedia*. Barcelona: "Teatro Mundial," 1915. A *refundición* in three acts.

14. D. C. Stuart, "Honor in the Spanish Drama," *Rom. Rev.*, I (1910), 246–58, 357–66.

15. D. C. Stuart, *ibid.*, lists as typical plays of this type: Dolce, *Giocasta* (1549); Rucellai, *Rosamunda;* Giraldi, *Orbecche* (1541); Speroni, *Canace* (1542); Giraldi, *Arrenopia* (1567).

16. A discussion of this play together with a summary of the plot and a critical analysis can be found in J. P. Wickersham Crawford, *Spanish Drama before Lope de Vega* (Philadelphia, 1937), pp. 175–78.

### ITALIAN

Giacinto Andrea Cicognini. *Il maggior monstro del mondo.* Perugia, *ca.* 1656. Venezia, 1659. Macerata, 1660. Venezia, 1668. Bologna, 1670. An Italian prose rendering of Calderón's *El mayor monstruo los çelos.*

Domenico Lalli. *La Mariane o Eccesi della gelosia.* Venezia, 1724. Music drama with music by T. Albinoni.

Giovanni Antonio Bianchi. *Mariamne.* 1761. Printed.

Luigi Scevola. *Erode.* 1815. Printed.

Pietro Monti. *El maggior mostro la gelosia* in *Teatro scelto di Pedro Calderón de la Barca con opere teatrali di altri illustri poeti castigliani.* Milano, 1855, Vol. II.

Gottardo Mellerio. *Mariam.* Novara, 1929.

### FRENCH

Alexander Hardy. *Marianne.* Paris, 1609.

Tristan l'Hermite. *La Mariane.* Paris, 1636. An adaptation; written in 1635, according to Hartzenbusch, and printed in 1637, according to M. Martinenche.

Gauthier de Costes de la Calprenède. *La mort des enfants d'Herodes ou suite de Mariane.* Paris, 1639.

Voltaire. *Mariamne.* First acted in 1724.

Augustine Nadal. *Mariamne.* Paris, 1738. Acted in 1725.

### DUTCH

Anthony Heinsius. *Herodes infanticida.* 1649. Printed.

*Herodes en Marianne.* Amsterdam, 1685. Other editions in 1730, 1731, 1757, and 1791. A translation of Tristan l'Hermite's play by Katherina Lescailje.

Jan de Valckgrave. *Marianne.* N. p., 1635. Resembles Tristan l'Hermite's play only in the general idea; otherwise there is no point of similarity.

Worp. *Drama en Tooneel.* N. p., n. d.

Coenraed Droste. *Mariamne, Treurspel.* 'S Gravenhage, 1714.

D. M. Maaldrink. *Herodes.* 'S Gravenhage, 1885.

### GERMAN

*Eifersucht das grösste Scheusal.* N. p., n. d.

*Das grosse Ungeheuer oder der eifersüchtige Herodes.* N. p., n. d.

*Der verliebte Mörder Herodes*. N. p., n. d.
Johann Klaj. *Herodes der Kindermörder*. Nürnberg. 1645.
Johann Christian Hallmann. *Die beleidigte Liebe*. 1670. Printed.
Christoph Otto van Schönaich. *Mariamne und Herodes*. 1754. Printed.
J. D. Gries. *Eifersucht das grösste Scheusal* in *Schauspiele von D. Pedro Calderón de la Barca*. Berlin, 1818. Vol. III.
Georg Nicolaus Bärmann and Carl Richard. *Mariamne* in *Die Schauspiele des berühmten Castilianischen Dichters D. Pedro Calderón de la Barca. Metrisch treu übersetzt*. Zwickau, 1824–27. Vol. I.
*Mariamne* in *Schauspiele von D. Pedro Calderón de la Barca, übersetze im Vermasse der Urschrift*. Wien, 1826. Vol. VI.
Friedrich Rückert. *Herodes der Grosse*. 1844.
Friedrich Hebbel. *Herodes und Mariamne*. 1850. Printed.
Rudolph Neumeister. *Herodes der Grosse*. 1853.

DANISH

A. Richter. *Tetrarken af Jerusalem* in *Udvalgte Komedier af D. Pedro Calderón de la Barca, Oversatte*. Kopenhagen, 1880–87. Vol. I.
P. E. Benzon. *Mariamme*. Copenhagen, 1904.

BRITISH

William Goldingham. *Herodes Trageodia*. MS written *ca*. 1567.
Elizabeth Falkland. *The Tragedy of Mariam*. London, 1613.
Gervase Markham and William Sampson. *Herod and Antipater*. 1622. Printed.
Philip Massinger. *Duke of Milan*. 1623. Printed.
Samuel Pordage. *Herod and Mariamne*. 1674. Printed.
Roger Boyle. *Herod the Great*. 1694. Printed.
Elijah Fenton. *Mariamne*. 1723.
William Waller. *Mariamne*. London, 1839.
Stephen Phillips. *Herod*. London, 1901.
Thomas Sturge Moore. *Mariamne*. London, 1911.

AMERICAN

Henry Iliowizi. *Herod*. Minneapolis, Minn., 1884.
Laughton Osborn. *Mariamne*. New York, 1873.
Amélie Rives. *Herod and Mariamne*. 1888.
Clemence Dane (Winifred Ashton). *Herod and Mariamne*. New York, 1938.

# *The Play and the Critics*

## PREVIOUS COMMENT AND CRITICISM

The play, *El mayor monstro los çelos*, has elicited both high praise and severe condemnation from critics through the centuries. The consensus of previous criticism has been that it is a moving, forceful drama depicting the flaming passion and barbarous jealousy of the Tetrarch of Jerusalem. At the same time most critics have maintained that the play is marred by a complex plot, cheap, theatrical devices, anachronisms, uninteligible jargon, errors in geography, florid metaphors, and a weak ending.

The *Memorial literario*, a newspaper of Madrid founded in 1784, contains one of the earliest reviews of the play:

La accion de esta Tragedia-Comedia es la muerte de Mariene a manos de su esposo Herodes por los çelos creidos en el amor de Octaviano Augusto.... Tres episodios principales forman la trama.... La trama, a la que coadyudaban otros episodios menores, no dexa de manifestar el ingenio de Calderón; la catastrophe es imprevista, y que sorprende causando los dos efectos propios de la Tragedia, que son el terror y la compasion, pues muere por equivocacion Mariene inocente, pero no causa la mutacion de fortuna en Herodes... Admira ver los enormes yerros que cometio Calderón en las grandisimas quiebras de lugar, y crasa ignorancia de la Geografia, ó á lo menos si no la ignoraba, en el atropellamiento y violencia de ella.... Tambien desprecio Calderón la propiedad de los usos y ritos. Octaviano llama a Aristobolo, Infante.... Estilo pomposo y sutil reyna en casi toda la Tragi-Comedia. Las relaciones largas que hay en este drama gustan mucho a los Comicos, y se esfuerzan en decirlas con aplauso.... Algunas sentencias hay agudas y buenas; pero si un monstruo dexa de tener alguna regularidad, se puede decir, que esta Tragi-Comedia es tan monstruosa como el mismo titulo.

The prediction of the Jewish astrologer, the terrible dagger which the author holds over the head of Mariene, the wounding of Tolomeo by the dagger thrown through the open window by Herod, the latter's jealousy on seeing his wife's picture in Octavian's hand, all this D. Manuel Bernardino García Suelto finds "grande, magnífico y poético."[17] He continues in this vein

17. Quoted by Juan Eugenio Hartzenbusch, *Biblioteca de autores españoles* (Madrid, 1848), XIV, 708–9.

by praising Calderón's portrayal of Herod as a model of originality and energy, whose love, unlike that of other men, is an all-consuming passion which absorbs his strength. D. Manuel is aware of some defects in the play. He mentions the character Aristóbolo and his expedition, which he regards as too episodic and not tied in too well with the main plot. The ending he finds worthy of a cape and sword play. The *gracioso*, according to this critic, detracts from the serious purpose of tragedy. He attacks the flowery language which he says is filled with astonishing and violent metaphors.

D. Eugenio de Ochoa waxes enthusiastic over the excellent characterizations of Herod and Mariene.[18] Other outstanding merits of the play, in his opinion, are its power to maintain the interest of the audience from the opening lines to the closing scene and its skill in not divulging the denouement prematurely. He realizes that there are defects, but he does not choose to list or mention them, convinced perhaps that they are obvious.

George Ticknor opines that "as a specimen of the effects of mere jealousy and of the power with which Calderón could bring on the stage its terrible workings, the drama he has called 'No Monster like Jealousy' is to be preferred."[19]

Menéndez y Pelayo's criticism of the play may be summed up in his own words, "admirablemente concebido y muy desigualmente ejecutado y escrito."[20] He believes that Herod's "çelos" are the most ideal and sublime and at the same time the most egotistical and unreal ever presented on any stage. The plot he considers extremely confusing, being complicated with two or three embroglios. He finds the double fatality almost useless for the drama. The dagger does strange and almost ludicrous things out of tune with the spirit of tragedy. The ending is characteristic of cape and sword *comedias* and the death of Mariene "por equivocación" when the lights are extinguished ruins in great part the main idea of the play.

Menéndez y Pelayo's critique of the play must be viewed in the light of his prejudice against Calderón and his predilection for Lope at a time when the latter was riding the crest of popularity. Menéndez y Pelayo later became aware of his earlier

18. *Tesoro del teatro español* (Paris, 1838), Vol. III.
19. *History of Spanish Literature*, II, 451.
20. *Calderón y su teatro* (Madrid, 1881), p. 327.

mistaken ideas and lamented the fact that they had gained widespread acceptance as definitive:

> No puedo menos de condenar en mí, como en otro cualquiera condenaría, la petulancia juvenil de aquellas páginas, que pueden tener excusa pero no servir de modelo a nadie. Con frecuencia las veo citadas en obras extranjeras, como si fuesen expresión cabal y adecuada de mi pensamiento, y esto me duele sobremanera, porque *el verdadero libro sobre Calderón no lo he escrito todavía*...." [Italics mine.][21]

Valbuena Prat does not discuss the defects of the play.[22] He stresses its metaphysical dialectics on the subject of jealousy and its highly poetic conception stemming from an abundance of striking metaphors for which baroque writers had so strong a penchant.

## A REVALUATION

It is not our intention to gloss over the defects already pointed out, for we realize that no amount of rationalization can obliterate the fact that they do mar the play. But a word or two of explanation concerning Calderón's use of certain previously censured techniques together with a study of a heretofore neglected aspect of his dramatic art may give us a better understanding of the play and add to our enjoyment of it. Anachronisms and errors in geography have always irked critics of the *comedia*. The Spanish audience of the seventeenth century did not demand historical or geographical accuracy. What did it matter to the *mosqueteros* whether Jerusalem was on the sea coast or in the hinterland? Or whether the verses of the fifteenth-century troubadour Escrivá (in A, B, C) were sung in Jerusalem in the time of Herod?

Heretofore many critics have believed that the subplots detracted from the central theme. It has recently been demonstrated, however, that the subplots of the seventeenth-century *comedia* are so skillfully interwoven with the main plot that any attempt to excise them would be to the detriment of the play

21. From his Prólogo to Doña Blanca de los Ríos' *Del Siglo de Oro* (Madrid, 1910), p. xxvii.

22. *Calderón, su personalidad, su arte dramático, su estilo y sus obras* (Barcelona, 1941), p. 97.

as a whole. This intermingling of plots in the *comedia* is now regarded as an integral part of the baroque aesthetic.[23]

Several episodes and techniques hitherto adversely criticized assume an added significance when they are considered in relation to the concept of Fate as employed by Calderón. The episode in which the Tetrarch, to prove that Mariene will not die by the dagger, throws the fateful weapon out the open window, whence it strikes and wounds Tolomeo, has been singled out as cheap dramatics. Calderón, as others have already pointed out, uses the scene to emphasize the *fateful* and ominous aspect of the weapon which is to cause the death of Mariene.

Another device much criticized occurs in the scene where the picture of Mariene falls just as the Tetrarch is about to plunge the dagger into Octavian's back. The "funesto puñal" (v. 247) pierces the picture and is thus symbolic both of the prediction made by the astrologer and of the denouement.[24] In a way it is similar to an earlier episode in which Tolomeo returning to Jerusalem is wounded by the fateful dagger tossed out the window by Herod.

It has been argued that the ending is weak because Mariene is killed "por equivocación" instead of by the Tetrarch's own hand. But this is the *surprise* ending which nobody has been expecting. It serves to accentuate the role of Fate in the play—a role of grief, unhappiness, and doom, foreshadowed already in vv. 139–40.

The parallel between Seneca and Calderón with regard to ideas and techniques is striking. Seneca and Calderón both lived in times of great moral laxity. While the plays of both men are ofttimes vehicles that serve to carry moral ideas, Calderón's contain no invectives against the vices of the day. In the works of the two there is a brilliancy that at times does not penetrate the surface. The poetry often seems bombastic, pompous, and rhetorical. The long speeches delay the action, which is

23. See Darnell H. Roaten and F. Sánchez y Escribano, *Wolfflin's Principles in Spanish Drama: 1500–1700* (New York: Hispanic Institute in the United States, 1952), *passim.*

24. The device of the falling picture is also found elsewhere in the *comedia*. See, e.g., Tirso's *La prudencia en la mujer* (II, 2): "Pero el retrato cayó,/y me ha cerrado la puerta." And again in Tirso's *La firmeza en la hermosura* (III) where the stage directions read: "Va a entrar y cae el retrato, cubriendo la puerta."

frequently characterized by violence and sensationalism.[25]

In the plays of Seneca and Calderón fatalism makes the protagonist haughty and causes him to indulge in long-winded, rhetorical, and declamatory speeches. Both Seneca and Calderón were Stoics whose contempt of the world has given their plays an element of brutality and callousness that was not out of tune with the periods in which each lived.

As in Seneca, the outward trappings of the ancient tragedy are also in evidence in our play: the use of the chorus, the endowment of the protagonist with a ruling passion or special weakness which during the course of the play leads him to his doom, the appeal to the emotions of pity and fear, and the death of the leading characters.

As Fate played an important role in the ancient Greek tragedy, so in our drama its counterpart, the dagger, hangs like the sword of Damocles over the head of Mariene. Once the prediction has been made that she is to die by Herod's dagger, this weapon becomes the "fatal ynstrumento" (v. 887), the "ynfausto açero" (v. 2474) and the "açero prodijioso" (v. 3034)—the wonder-working weapon which wounds Tolomeo after the Tetrarch casts it out the window. And once the dagger is returned to Herod (vv. 883–85), it only serves to stir up fear and misgivings in its owner:

> no sé qué nuebo temor
> en mi pecho a yntroducido
> berle bolber a mi mano,....
>
> (vv. 951–53)

The Tetrarch lays the dagger at Mariene's feet and states that her fate is now in her own hands and that by exercising her free will (vv. 1031–32) she can avoid danger.

The handmaid of Fate is astrology, which Calderón considers a "dudosa çiençia del hado" (vv. 941–42). Fate is looked upon as cruel early in the play when Mariene asserts that

> por ley de nuestros ados
> vibimos a desdichas destinados:
>
> (vv. 139–40)

25. More on Seneca's technique will be found in Sheldon Cheney. *The Theater. Three Thousand Years of Drama, Acting and Stagecraft* (New York, 1929), p. 68; and. in Alan Reynolds Thompson, *The Anatomy of Drama* (Berkeley and Los Angeles, Calif., 1946), pp. 246–50.

This concept of fatalism for Mariene and Herod is re-echoed in the closing lines of Act I:

TETRARCA. Ya que a boluntad del hado.
MARIENE. Ya que a eleçión del destino.
TETRARCA. Toda mi vida es portentos.
MARIENE. Toda mi vida es prodijios.

(vv. 1205–8)

The lives of both the Tetrarch and Mariene are ruled by the "cuchilla rigurosa" (v. 2591). After the attempt on Octavian's life has been thwarted by the falling picture of Mariene, Herod is led to remark:

la vida debo a vn puñal;
yo le pagaré con ella.

(vv. 1441–42)

Toward the end of Act III when Mariene finds herself alone with her husband she remarks, looking at the dagger which has become the ruler of her life:

El puñal,
que del reloj presuroso
de mi vida fué el bolante.

(vv. 2831–33)

The Tetrarch, too, is forced to admit that the dagger has been destined by fate to rule his own life:

¿Y aquéste
no es el fiero puñal duro
que registro de los astros.
es aguja de sus rumbos?

(vv. 3547–50)

Aside from the role of Fate and other important points of similarity between our play and ancient Greek tragedy, it is indeed remarkable that, in this day when so much attention has been focused on psychology, nobody has examined Herod's mental struggle and attempted to explain the motives behind his acts. The conflict of wills and passions reaches new heights in our play. A psychological struggle takes place not only between the Tetrarch and Mariene but also in the mind of the former who has one great flaw in his character—that of being insanely jealous. Herod, moreover, is madly in love with his wife, whom he hopes to make queen of the world when he has overthrown Octavian and assumed the leadership of the vast Roman empire. His wife's sadness arouses his grave concern (vv. 29–36), and his mental conflict begins in v. 97 "ansia que ya con mis temores lucha." The mental struggle and anguish is heightened by Mariene's account of the astrologer's prediction that Herod's dagger will slay the one he loves most.

Herod then tries to disparage the astrologer's prophecy and, when arguments fail, he casts his dagger into the sea. But the seeds of suspicion have now been sown in his mind, and his anguish increases (vv. 425–30). He is driven to the point where he longs for death and is envious of the dead (vv. 465–66). Nevertheless he adores his wife madly, as he himself admits (vv. 505–6), and his love for her will extend beyond the threshold of death and remain for all time. Like a superman he defies his friends and adversaries (vv. 495–504) in his attempt to seize power and make Mariene queen of the world. Likewise he defies Fortune and Fate (vv. 947–49). But he is not sure of himself. Perhaps he ought to give credence to certain things which have been predicted. Torn then between doubt and belief, he surrenders his dagger at Mariene's feet (vv. 977–80). But Mariene assures him that, if he really loves her, no harm will be done and then bids him sheathe the dagger.

The fires of jealousy are once again stirred up when the Tetrarch espies a picture of Mariene in Octavian's hand. In an outburst of jealous rage he is about to strike down Octavian from behind. But a large picture of Mariene hung above the door intervenes. The Tetrarch wonders whether Mariene and the Emperor are in love. And his jealousy is further increased by the thought that Octavian may possess Mariene after the Tetrarch's death. This depressing thought instills the idea of suicide into Herod's mind. He wrests Filipo's sword from him and wishes to fall on it, since he has more cause for committing suicide than had Anthony. His unhappiness is summed up in these words:

que soy epílogo, y çifra
de las miserias humanas.

(vv. 1742–43)

When Filipo states that Octavian, once in Jerusalem, may try to court Mariene, the Tetrarch is filled with suspicion, fear, doubts:

> y... çelos yva a deçir;
> pero ymaginallos vasta.
>
> (vv. 1750–51)

Herod does not mean to use the word "çelos": it slips out unconsciously and indicates how obsessed his mind is by jealousy.[26] In fact the Tetrarch confesses that he is no longer afflicted by his ambition, or his bold arrogance, or his partiality toward Anthony. He is now seized by the oppressive fear that Octavian may possess Mariene. His unhappiness is so overwhelming that it will not end at death (vv. 1783–85). Herod's mind, rankled by a raging torrent of frenzy, desperation, wrath, and affliction, recognizes that it is merely fighting the products of its own imagination:[27]

> luchando estoy de mi muerte
> con las sonbras, y fantasmas,....
>
> (vv. 1826–27)

But he is powerless against them and is forced to concede that

> .... todo es nada,
> como no sean mis çelos;....
>
> (vv. 1875–76)

26. Bruce W. Wardropper has examined the state of *turbación* in another play See his article "The Unconscious Mind in Calderón's *El pintor de su deshonra*.' *Hisp. Rev.* XVIII (1950), 285–301. See my article "Obsesiònes en *El mayor monstruo del mundo*, de Calderón," *Estudios*, VIII (1952), 395–409.

27. For a similar concept of imagination in Calderón see *La devoción de la cruz*, Act I:

> Ya me había prevenido
> por sus mentirosas cartas
> esta desdicha, diciendo
> que, cuando me fuí, quedaba
> con sospecha; y yo la tuve
> de mi deshonra tan clara,
> que discurriendo en mi agravio,
> imaginé mi desgracia.
> No digo que verdad sea:
> pero quien nobleza trata,
> no ha de aguardar a creer,
> que el imaginar le basta.

The terrifying conclusion he reaches is that the only solution is death for himself and his wife. He is overwhelmed by an all-consuming passion and is now no longer able to reason. His imagination runs riot on the subject of jealousy until he consciously stops it (v. 3076).

After entrusting Filipo with the mission of delivering a letter to Tolomeo with the secret order to kill Mariene in the event of his death, the Tetrarch admonishes him not to be astounded by this terrible command, for

> otros abrá que le aplaudan:
> pues no ay amante o marido
> (salgan todos a esta causa)
> que no quisiera ver antes
> muerta, que ajena su dama.[28]
>
> (vv. 1919–23)

Calderón, by associating the conduct of Herod with that of all lovers and husbands who would rather see their sweethearts or wives dead than in the arms of another, thus strikes a note of appeal which strengthens his point of contact with the audience, who can better understand the Tetrach's feelings through the rapport of sharing them.

Mariene gets possession of the threatening missive and at the end of Act II she experiences a profound emotional disturbance, for she is unable to fathom the reason for her husband's nefarious scheme

> Si del mundo el mayor monstruo
> me está amenaçando en ese
> enquadernado volumen,
> mentira azul de las jentes,
> y tú me matas, será
> vien deçirse de ti que eres
> el mayor monstruo del mundo.
>
> (vv. 2352–58)

28. According to Freudian theoretical speculation, there are two fundamental instincts lying concealed behind the ego-instinct and object-instinct. They are (*a*) the Eros, the instinct which strives for ever closer union, and (*b*) the instinct for destruction which leads toward the dissolution of what is living. This theory is well illustrated in the Tetrarch's ardent passion for Mariene (the Eros) and the succeeding clandestine order for her death in the event that he does not return (the destructive instinct).

The Tetrarch is furious that Mariene has found out about the letter and blames himself for putting the order into writing. But his obsession obfuscates his reason and he is obliged to concede that his passion of jealousy is the greatest monster in the world:

> Mas ¿dónde vas? Parad, parad, reçelos,
> no forméis vn compuesto de orror tanto
> que el mayor monstruo ayan de ser los çelos.
>
> (vv. 3076–78)

When Herod sees Mariene's clothes scattered on the floor after her struggle with Octavian, he considers it sufficient evidence to conclude that her honor (and of course his) has been sullied (vv. 3519–30). Then, as Hartzenbusch has pointed out, the Tetrarch utters the most poetic interpretation of his honor in the entire repertoire of Golden Age drama:

> ¡Tarde emos llegado, çelos,
> y vien tarde! Pues no dudo
> que quien arrastra despojos,
> abrá çelebrado triunfos.
>
> (vv. 3557–60)

The ending is completely unexpected. The Tetrarch now thinks he has good reason to slay his wife for the blemish to his honor when he sees the circumstantial evidence of her scattered garments. But Calderón under the spell of Senecan influence decides on a "surprise" ending in consonance with the concept of Fate or Destiny used in classical tragedy. Hence in the resultant confusion after the lights have been extinguished, Mariene is killed "por equivocación" and Herod, disclaiming any responsibility, attributes her death to

> El destino suyo,[29] . . . .
>
> (v. 3603)

Thus we see the culmination of the tragic prophecy divined by the Hebrew astrologer and mentioned by Mariene early in Act I. The Tetrarch's wife is destined to be the victim of jealousy and also of Fate. The egocentric Herod bent on making himself master of the world cannot bear the thought of any

29. A similar illustration of the working of Fate is to be found in *Don Alvaro* (IV, i): "Yo a vuestro padre no herí,/le hirió sólo su destino."

other man possessing his wife Mariene with whom he is passionately in love. As the play unfolds, Herod's fear of losing his wife and his exaggerated ego are at the basis of his obsession of jealousy which prevents him from discriminating between facts and the products of his undisciplined imagination that finally creates in his mind the myth of Mariene's infidelity. The external evidence of her dread of the dagger, her picture in Octavian's possession, and her scattered garments point to her guilt. Calderón's poetic depiction of the Tetrarch's motives, his mental struggle and progressive *turbación*, together with the strange workings of Fate serves to point up the psychological significance of the drama.

## *The Play on the Boards*

The earliest record extant of performance of the play is the dated "licencia" found at the end of Act I, October 8, 1667, Madrid, and the second performance on April 21, 1672.

That the play was popular on the boards in the eighteenth century and early nineteenth may be deduced from the following record of performances: April, 1786, at Teatro de la Cruz; May 10, 1787, at Coliseo del Príncipe; June 19–21, 1790, at Teatro de la Cruz; October 7–9, 1791, at Teatro de la Cruz; September 14–17, 1792, at Teatro del Príncipe; January 3, 1798, at Teatro Taños del Peral; July 12, 1811, at Teatro de la Cruz; January 12, 1818, at Teatro del Príncipe; August 12, 1819, at Teatro del Príncipe.[30]

A check of N. B. Adams, "Siglo de Oro Plays in Madrid, 1820–1850" (*Hisp. Rev.*, IV [1936], 342–57), shows no performances of *El mayor monstro los çelos* between the years 1820–50. This is surprising in view of the romantic nature of the play, its strong emotions, and long, declamatory speeches so much esteemed by the playwrights and audiences of that period.

30. Ada M. Coe, *Catálogo bibliográfico y crítico de las comedias anunciadas en los eriódicos de Madrid desde 1661 hasta 1819* (Baltimore, 1935).

# *Versification*

In general Calderón, in his use of strophes, follows the precepts set down by Lope in his *Arte nuevo de hacer comedias*.[31] However, some of the verse forms take on additional functions as the mood and tone of the play change.

The *romance* is the predominant verse. It is not restricted to narration or to the *relación* (e.g., vv. 321–424), but serves several other purposes. First it is used for stately conversation between royalty, and royalty and plebeians (e.g., vv. 255–514; 1209–1446); second for soliloquies (e.g., vv. 818–48, soliloquy by Libia); and third for humorous scenes (e.g., vv. 2743–2800, the conversation between Polidoro and Soldado 1°). It serves also as a medium to express the Tetrarch's jealousy (e.g., vv. 1603–76), and as the verse of the opening song of Act I (vv. 1–12).

There are eight combinations of assonance in the play, two of which deserve special comment. The round tones of the *romance* in the combination *o-o* convey the mordant sting of reproach as Mariene chides her husband for his jealousy and his secret plans to have her killed in the event of his death (vv. 2801–3064). This *romance* in *o-o* is repeated when the Tetrarch upbraids Libia on finding her in Mariene's quarters (vv. 3079–3184). In the closing scene the *romance* in a mournful *u-o* assonance sets the lugubrious tone for the tragic ending (vv. 3401–3632). The *romance* ends all three acts and opens Act II.

The *silva* is employed in this play to express the acclamation of the populace on the occassion of the emperor Octavian's victory in Egypt (vv. 515–22), his triumphant entry into Jerusalem (vv. 2428–2571), and his apparent magnanimity in pardoning the Tetrarch's treachery (vv. 2738–42). It is also used in stately dialogue with royalty, e.g., between the Tetrarch

31. Acomode los versos con prudencia
a los sujetos de que va tratando.
Las décimas son buenas para quejas;
el soneto está bien en los que aguardan;
las relaciones piden los romances,
aunque en octavas lucen por extremo.
Son los tercetos para cosas graves,
y para las de amor las redondillas.

and Mariene discussing the prophecy made by the Jewish astrologer (vv. 23–144) and in Mariene's conversation with Aristobolo and Tolomeo (vv. 1942–2033).

The *quintilla* is found in conversation usually among royalty (vv. 523–802). One *quintilla* completes Polidoro's speech begun in redondilla (vv. 1591–95). It is also found in a *relación* by Aristobolo (vv. 628–702). It is used with *pie quebrado* for lyrical effect when the ladies in waiting attempt to assuage Mariene's sadness by singing (vv. 3351–3400).

The *décima*, essentially a lyric stanza to be employed in complaints according to Lope, occurs in a long speech on astrology by the Tetrarch (vv. 145–254) and in a rapid dialogue when the Tetrarch attempts to kill Filipo and Tolomeo (vv. 3185–3234).

The *redondilla* is found only in Act II in a humorous scene between Soldado 1º and Polidoro (vv. 1447–1570) and in a serious one between the Tetrarch and Polidoro (vv. 1570–90). It occurs again in the scene where Filipo delivers the Tetrarch's note to Tolomeo (vv. 2034–2129).

The *soneto* is the mold for soliloquies as prescribed by Lope. There are two sonnets in the play, one by Octavian on love and death (vv. 803–17) and the other by the Tetrarch on jealousy, the greatest monster (vv. 3065–78).

The *octava* is found in a stately and dignified speech by Mariene begging the emperor to spare her husband's life or to kill her and the Tetrarch (vv. 2572–2619).

The *endecha* is employed as a mounful song by Sirene, Libia, and Mariene (vv. 849–52, 863–66, 879–82).

The song, partly in *romance*, which opens Act I when musicians sing to mitigate Mariene's sadness (vv. 1–22) is reminiscent of the chorus used in Greek tragedy and sets the tone for the fateful conclusion.

There is a prose letter between vv. 747–48.

The nineteenth-century method of dividing a play into scenes based on the entrance or exit of one or more characters has not been followed in our text, as it would mar the continuity of the play. The following brief synopsis based on the Hartzenbusch division of the play into scenes is designed to show how Calderón varies the meter when there is a change of mood or episode:

*JORNADA I*: ENVIRONS OF JAFFA, MEMPHIS, AND JERUSALEM

JAFFA

*Romance é*, and song (scene 1): Song by the musicians to alleviate Mariene's sadness.

*Silvas* (scene 1): Discussion by Tetrarch and Mariene concerning prophecy of Jewish astrologer.

*Décimas* (scenes 1–2, and part of 3): Long speech by Tetrarch on how the stars lie. Tetrarch tries to convince Mariene that the prediction is a lie.

*Romance, a-e* (remainder of scene 3, scenes 4–5): Tolomeo is wounded by dagger tossed out the window by Herod. Tolomeo's account of the death of Cleopatra and Marc Anthony. Tetrach informs Filipo of his plan to rule the world.

ROOM IN THE PALACE AT MEMPHIS

*Quintillas* (scenes 6–8): Octavian returns triumphant from his victory in Egypt. The Emperor mistakes Polidoro for Aristobolo. Humorous prison episode. The Emperor falls in love with Mariene's picture. His plan to capture the Tetrarch.

*Soneto* (scene 9): Soliloquy by Octavian on love and death.

JAFFA

*Romance, í-o* (scenes 10–14): Libia's despair over Tolomeo's wounds. Mariene's grief. Tetrarch's mad love for his wife. Invasion of Jerusalem by the emperor. Capture of the Tetrarch.

*JORNADA II*: MEMPHIS AND JAFFA

MEMPHIS

*Romance, e-a* (scenes 1–5): Soldiers unable to extract information from Aristobolo concerning the identity of the woman in the picture. Tetrarch's jealousy on seeing his wife's picture in possession of the Emperor. Herod confronted with letters revealing his treachery. His attempt on life of Emperor. Falling of the picture. Tetrarch's imprisonment.

### PRISON IN A TOWER OF MEMPHIS

*Redondillas* (scenes 6–7 and part of 8): Tetrarch and Polidoro in prison.

*Quintillas* (near end of scene 8): Concluding speech by Polidoro disclaiming any knowledge of what happened to Aristobolo.

*Romance, a-a* (ends scene 8; scenes 9–10): Soliloquy by Tetrarch. Filipo's loyalty tested. Letter with secret command.

### SEACOAST AT JAFFA

*Silvas* (scenes 11–13 and part of 14): Aristobolo promises Mariene to secure her husband's release. Libia and Tolomeo plan a nocturnal meeting in the garden.

*Redondillas* (remainder of scene 14, scenes 15–16): Filipo, masked, delivers the Tetrarch's note to Tolomeo.

*Romance, e-e* (scenes 17–22): Sirene quarrels with Tolomeo. Libia tears the note in half. Mariene pieces it together, reads it, and swears vengeance.

## *JORNADA III*: JERUSALEM

### JERUSALEM

*Silvas* (scenes 1–2, part of 3): Arrival of Octavian; greeted by Tolomeo. Octavian recognizes Mariene from her picture. Tetrarch jealous on seeing Octavian and Mariene together.

*Octavas* (part of scene 3): Mariene pleads for her husband's life.

*Romance, e-o* (part of scene 3): Octavian spares Herod's life and restores him to position and honor. Aristobolo also pardoned. Tetrarch pleased that the secret entrusted to Filipo has not been discovered.

*Silvas* (remainder of scene 3): All hail the emperor's magnanimity.

*Romance, e-o* (scenes 4–5): Humorous scene between Polidoro and Soldado 1º.

### ROOM IN THE PALACE AT JERUSALEM

*Romance, o-o* (scene 6): Mariene reproves Herod for his jealousy and secret order. The Tetrarch is more jealous than ever, realizing that his wife has discovered his secret.

*Décimas* (scenes 7–8): Soliloquy by the Tetrarch. Tolomeo enters with Filipo. Herod threatens to kill them for divulging the secret.

Octavian's tent

*Romance, e-a* (scenes 9–10): Octavian enraged by Tolomeo's intrusion. Emperor's anger cools when he learns of Mariene's danger. Tolomeo promises to take him to her room in the tower.

Mariene's room in the tower

*Quintillas* with an occasional *pie quebrado* (scene 11): Ladies in waiting attempt to assuage Mariene's sadness by singing.
*Romance, u-o* (scenes 12–17): Emperor offers to save Mariene from her tyrannical husband. She spurns his offer. Struggle over the picture. Mariene flees and Octavian pursues her. The Tetrarch suspects foul play on finding his wife's garments scattered on floor. Lights extinguished. In the darkness and confusion the Tetrarch kills Mariene and then commits suicide.

Some observations which become evident from the above outline may be summarized as follows:

Calderón does not base his change of meters necessarily on the entrance or exit of one or more characters.

The basis of meter change rests upon (1) the mood or tone of the moment and (2) the episodes or incidents contributing to the development of the plot.

Several meters are sometimes used in one scene.

The meter usually changes whenever there is a shift in locale.

The large number of meter changes based on the mood or tone underlines the essentially lyric nature of the play.

## TABLE I

### DISTRIBUTION OF VERSE FORMS

| *Act* | *Inclusive Lines* | *Verse Form* | *Total Lines* |
|---|---|---|---|
| I | 1–12 | *romance (é)* | 12 |
| | 13–22 | song ending in a *pareado* | 10 |
| | 23–144 | *silvas pareadas* | 122 |
| | 145–254 | *décimas* | 110 |
| | 255–514 | *romance (a-e)* | 260 |
| | 515–522 | *silvas pareadas* | 8 |
| | 523–802 | *quintillas* | 280 |
| | 803–816 | *soneto* | 14 |
| | 817–848 | *romance (i-o)* | 32 |
| | 849–852 | *endechas* | 4 |
| | 853–862 | *romance (i-o)* | 10 |
| | 863–866 | *endechas* | 4 |
| | 867–878 | *romance (i-o)* | 12 |
| | 879–882 | *endechas* | 4 |
| | 883–1208 | *romance (i-o)* | 326 |
| II | 1209–1446 | *romance (e-a)* | 238 |
| | 1447–1590 | *redondillas* | 144 |
| | 1591–1595 | *quintillas* | 5 |
| | 1596–1941 | *romance (a-a)* | 346 |
| | 1942–2033 | *silvas* | 92 |
| | 2034–2129 | *redondillas* | 96 |
| | 2130–2427 | *romance (e-e)* | 298 |
| III | 2428–2571 | *silvas* | 144 |
| | 2572–2619 | *octavas* | 48 |
| | 2620–2737 | *romance (e-o)* | 118 |
| | 2738–2742 | *silvas* | 5 |
| | 2743–2800 | *romance (e-o)* | 58 |
| | 2801–3064 | *romance (o-o)* | 264 |
| | 3065–3078 | *soneto* | 14 |
| | 3079–3184 | *romance (o-o)* | 106 |
| | 3185–3234 | *décimas* | 50 |
| | 3235–3350 | *romance (e-a)* | 116 |
| | 3351–3400 | *quintillas* with *pie quebrado* | 50 |
| | 3401–3632 | *romance (u-o)* | 232 |

TABLE II

NUMBER OF LINES OF EACH VERSE FORM

| *Verse Form* | *Act I* | *Act II* | *Act III* | *Total* | *Percentage* |
|---|---|---|---|---|---|
| *décimas* | 110 | ... | 50 | 160 | 4.40 |
| *endechas* | 12 | ... | ... | 12 | 0.33 |
| *octavas* | ... | ... | 48 | 48 | 1.32 |
| *quintillas* | 280 | 5 | 50 | 335 | 9.22 |
| *redondillas* | ... | 240 | ... | 240 | 6.60 |
| *romance* | 652 | 882 | 894 | 2428 | 66.85 |
| *silvas pareadas* | 130 | 92 | 149 | 371 | 10.21 |
| song | 10 | ... | ... | 10 | 0.27 |
| *soneto* | 14 | ... | 14 | 28 | 0.77 |

NOTE.—With the exceptions listed following, all figures in the table represent single passages.

*Endechas*—three 4-line passages.

*Redondillas*—two passages of 144 and 96 lines each.

*Romance*—Act I: 12, 260, 32, 10, 12, and 326 lines;
Act II: 238, 346, and 298 lines; Act III: 118, 58, 264, 106, 116, and 232 lines.

*Silvas pareadas*—Act I: 122 and 8 lines; Act III: 144 and 5 lines.

# EL MAYOR MONSTRO

# LOS ÇELOS

*Jesus Maria Joseph** [Fol. 1r]

# El Mayor Monstro los Çelos*

## [*Personas*]*

| | |
|---|---|
| EL TETRARCA DE JERUSALÉN | [Sebastián de?] Prado |
| OTABIANO, *enperador* | Juo Fernández |
| ARISTÓBOLO, *prínçipe* | Juo Fran[cis]co |
| FILIPO, *viejo* | [Gerónimo de?] Morales |
| TOLOMEO, *soldado* | [Bernardo de la?] Vega |
| PATRICIO, *capitán* | Juo de la Calle |
| POLIDORO | [Manuel?] Vallejo |
| MARIENE, *dama* | Ma de Quiñones |
| LIBIA, *dama* | Ma de Prado |
| SIRENE, *dama* | Bernarda [Manuela?] |
| ARMINDA, *criada* | María Albarez |
| MÚSICOS, SOLDADOS | [Juan?] Correa |

## PRIMERA JORNADA

*Salen los* MÚSICOS *y mientras cantan van saliendo los que puedan de acompañamiento y detrás el* TETRARCA *y* MARIENE *llorando.*

MUSICOS. *La dibina Marïene,**
*el Sol de Jerusalén,**
*por dibertir sus tristezas,*
*vió el campo al amanecer.*
*Las fuentes, flores y aues* 5
*la dan dulce paravién,*
*siendo triunfo de sus manos**
*lo que es ponpa de sus pies,*
*y como aues, fuentes, flores*
*solicitan su plaçer,* 10

* The asterisk throughout the following text of the play indicates that a word, passage, etc., is treated in the Commentary, pp. 145–65.

*convidando vna a otras,* [Fol. 1v]
*dicen vna y otra bez:*
*«Fuentes, sus espejos sed:*
*corred, corred;*
*aues, su luz saludad:* 15
*volad, volad;*
*flores, sus sendas lucid,*
*venid, venid;*
*y a poner paz en lid*
*de vn çielo berjel,** 20
*aues, fuentes y flores,*
*venid, volad, corred.»*

TETRARCA. Callad, callad, suspéndase el açento
que sonoro se esparce por el biento.
Hermosa Marïene, 25
a quien el orbe de zafir prebiene
ya soberano asiento,
como estrella añadida al firmamento,
no con tanta tristeça
turbes el rosicler de tu belleza. 30
¿Qué deseas? ¿Qué quieres?
¿Qué embidias? ¿Qué te falta? ¿Tú no eres,
querida esposa mía,
reyna en Jerusalén? Su monarquía
en quanto çiñe el sol, el mar abarca, 35
¿no me aclama su ýnclito Tetrarca,
que es Viso-Rey, mudando en mí el trofeo
sola la boz, porque naçí Ydumeo,*
de cuya autoridad dan testimonio
letras de Marco Antonio 40
y firmas de Otabiano?
¿Los dos no yntentan (¡o no salga en bano!) [Fol. 2r]
conpetir el ymperio*
que dilata y estiende su emisferio
desde el Tiber al Nilo? 45
Y yo, pues, ¿con falso trato y doble estilo*
de Antonio no defiendo
la parte? Porque así turbar pretendo
la paz, y que la guerra
dure a fin que después, quando la tierra 50

de sus güestes padezca atormentada,
y el mar cansado de vna y otra armada,
pueda, desechos ambos, declararme
y en Roma, tú a mi lado, coronarme.
Tu hermano y Tolomeo, 55
¿no son a quien les fío mi deseo,*
y todo el poder mío,
pues con los dos socorro a Antonio embío?
Y en tanto, dueño hermoso,*
que al triunfo llega el día benturoso, 60
no estás de mí adorada?
¿ De mis gentes no estás ydolatrada
por gusto tuyo en esta hermosa quinta
que sobre el Mar de Jafe el abril pinta?*
Pues no tan fáçilmente 65
se postre todo un sol a vn acidente;
pródiga restituya tu alegría
su luz al alba, su esplendor al día,
su fragançia a las flores,
al campo sus colores, 70
sus matiçes a Flora* (Fol. 2v]
sus perlas al Aurora,*
su música a las aues,
mi vida a mí; pues con temores graves
a çelos me ocasionan tus desbelos... 75
No sé más que deçir: ya dije çelos.

Mariene. Tetrarca jeneroso,
mi dueño amante y mi galán esposo,
yngrata al çielo fuera
y a mi bentura yngrata, si rindiera 80
el sentimiento mío
a pequeño açidente el albedrío.
La pena que me aflije,
de causa (¡ay triste!) superior se rije,
tanto, que es todo el çielo* 85
depósito fatal de mi recelo,
pues todo el çielo escribe
mi desdicha, que en él grabada bibe
en papel de çafir con letras de oro.
No con causa menor mi muerte lloro. 90

Tetrarca. Menos sé aora, y más dudo
el mío y tu dolor; y si es que pudo
tanto mi amor contigo,
hazme, mi bien, de tu dolor testigo:
sepa tu pena yo, porque la llore 95
y más tiempo no ygnore
ansia que ya con mis temores lucha.

Mariene. Nunca pensé deçirla; pero escucha.*
Vn doctísimo hebreo* [Fol. 3r]
tiene Jerusalén, cuyo deseo 100
siempre a sido estudioso
adelantar al tiempo presuroso
la hedad, como si fuera
menester acordarle que corriera.
Este astrólogo o mago o nigromante, 105
en láminas leyendo de diamante*
caracteres de estrellas,
los ya futuros continjentes dellas,
como dije, adelanta
con tanto estudio, con çerteza tanta, 110
que es oráculo bibo
de todo ese bolumen fugitibo*
que en círculos de niebe*
vn soplo ynspira y vna mano muebe.
Yo, que mujer nací (con esto digo 115
amiga de saber), docto testigo
le hiçe de tu fortuna y mi fortuna;
que biendo quanto al monte de la luna*
oy elebas la frente,
quise anteber el fin. El obediente, 120
con el mío juzgó tu naçimiento
y, a los acasos de la suerte atento,
halló... (aquí el labio mío*
torpe muda la boz, el pecho frío
se desmaya, se turba y se estremece, 125
y el coraçón aun con latir falleze),
halló..., enfin, que sería* [Fol. 3v]
ynfausto triunfo yo (¡qué tiranía!)
de vn monstro el más cruel, orible y fuerte
del mundo; y en ti alló que daría muerte 130

(¿qué daño no se teme prebenido?)
ese puñal que agora te as ceñido
a lo que más en este mundo amares.
¡Mira, pues, si pesares
tan grandes es forçoso 135
que tengan en discurso temoroso,
muerta la vida y bibo el sentimiento!
Pues, trájicos los dos con fin biolento,
por ley de nuestros ados
vibimos a desdichas destinados: 140
tú, porque ese puñal será omicida
de lo que amares; yo, porque mi vida
vendrá a ser con ejemplo sin segundo
trofeo del mayor monstro del mundo.*

TETRARCA. Bellísima Marïene,* 145
aunque ese libro ynmortal*
en onçe ojas de cristal*
nuestros ynflujos contiene,
dar crédito no conbiene*
a los secretos que ençierra; 150
que es çiençia que tanto yerra
que en vn punto solamente
mayores distançias miente [Fol. 4r]
que ay desde el çielo a la tierra.
De esa çiençia singular 155
sólo se debe atender
al mal que se a de temer,
mas no al que se a de esperar.
Sentir, padeçer, llorar
desdichas que no an llegado, 160
ya lo son, pues que no ay ado
que pueda aberte oprimido,
después de aber suçedido,
a más que aberle llorado.
Y si aora tu reçelo 165
lo que a de suçeder llora,
tú haçes tu desdicha agora
mucho primero que el çielo.
Creer más nuestro desconsuelo,*
por ymajinada v dicha* 170

la desdicha, que la dicha
ya es padeçerla en rigor,
pues no ay desdicha mayor*
que esperar vna desdicha.
  Y en otro argumento yo* 175
bençer tu temor quisiera.
Si bentura acaso fuera
la que el Astrólogo bió, [Fol. 4v]
¿diérasla crédito? No,
ni la estimaras ni oyeras; 180
pues ¿por qué en nuestras quimeras
an de ser escrupulosas
las benturas mentirosas,
las desgracias berdaderas?
  Dé crédito el llanto ygual 185
al fabor como al desdén:
ni aquél dudes porque es bien,
ni éste creas porque es mal.
Y si consequencia tal
no te satisfaçe, mira 190
otra que a librarte aspira.
Esta prebista crueldad*
o es mentira o es berdad:
dejémosla si es mentira,
  pues nada nos asegura, 195
y a que sea berdad bamos,
porque, siéndolo, arguyamos
que es el saberla ventura.
Ninguna bida ay segura
vn ynstante: quantos biben 200
en su principio perçiben
tan contados los alientos
que se gastan por momentos
los números que reciuen.
  Yo en aqueste ynstante no 205
sé si mi qüenta cumplí,
ni le vibiré, y tú sí, [Fol. 5r]
a quien el çielo guardó
para vn monstro: luego yo
llorar debiera ygnorante 210

mi fin; tú no, si este y[n]stante
a ser tan dichosa vienes
que seguro el vivir tienes,
pues no está el monstro delante.
Y pasando al fundamento 215
de lo que sabes de mí,
¿cómo es conpatible, di,
que aqueste puñal sangriento
dé en ningún tiempo biolento
muerte a lo que yo más quiero, 220
y a ti un monstro? Y si no ynfiero
cosa de mí más querida,
¿cómo amenaçan tu vida
aquel monstro y este açero?
Pues si oy el hado ynportuno, 225
que es de los Jentiles Dios,*
te a amenaçado con dos
riesgos, no temas ninguno.
No ay más crueldad para el vno
que para el otro piedad: 230
luego será neçedad
temer, al agüero atenta,
quando es fuerza que vno mienta,
que el otro diga verdad.
Y porque beas aquí* 235
cómo mienten las estrellas,
y que el hombre es dueño dellas,
*(Saca el puñal, y ella se asusta.*
mira el puñal.
Mariene. ¡Ay de mí! [Fol. 5v]
esposo yo...
Tetrarca. ¿De qué ansí
tiemblas?
Mariene. Mi muerte me adbierte 240
mirarle en tu mano fuerte.
Tetrarca. Pues porque no temas más
desde oy ynmortal serás:
yo haré ynposible tu muerte.
Sea el mar, campo de yelo,* 245
sea el orbe de cristal

deste funesto puñal,
monstro açerado en el suelo,
sepulchro.

(*Tira el puñal y dice dentro* TOLOMEO.

TOLOMEO [*dentro*]. ¡Válgame el Çielo!
MARIENE. ¡O qué voz tan triste e oýdo! 250
FILIPO. Ayre y agua an respondido
con asombro y con desmayo.
LIBIA. El trueno fué de aquel rayo
vn lastimoso gemido.
MARIENE. ¿Qué mucho que a mí me asonbre 255
açero tan penetrante,
que haçe heridas en las ondas,
y ympresiones en los ayres?
TETRARCA. Los pequeños açidentes
nunca son prodijios grandes, 260
acaso la boz se queja.
Y porque te desengañes,
iré a saber cúya a sido,
penetrando a todas partes
los cóncabos de los montes, [Fol. 6r]
y los senos de los mares. 266

(*Va*[*n*]*se* [*el* TETRARCA] *y* FILIPO.

MARIENE. Toda soy orror.
*Dentro* TOLOMEO. Dibinos
dioses, ¿a vna vida frájil*
no le bastaba vna muerte?
MARIENE. Açento tan lamentable 270
¿cúyo será?
LIBIA. No sé, pero
el mar campaña ynco[n]stante
de vn mísero es, que, rendido
a los continuos enbates
de su influjo y su reflujo, 275
entre sus espumas trae,*
luchando a braço partido
con el agua y con el ayre.
SIRENE. Ya tu esposo, dando orden
que le socorra y ampare 280
dentro del mar, le da puerto

| | | |
|---|---|---|
| | en los barcos y en la marjen. | |
| MARIENE. | Diçes bien, mas (¡ay de mí!) | |
| | que asombro a asombro se añade, | |
| | pues puñal que fué cometa* | 285 |
| | de dos esferas errantes,* | |
| | arpón del arco del çielo, | |
| | clavado en el hombro trae. | |
| LIBIA. | Y es (¡ay ynfeliz!), si no es | |
| | que la distancia me engañe, | 290 |
| | (mas ¿quándo engañan distancias | |
| | en prespetibas de males?),* | |
| | Tolomeo. ¿Qué lo dudo, | [Fol. 6v] |
| | pues bastaba ser mi amante | |
| | para ser tan ynfeliçe?* | 295 |
| SIRENE. | ¡Qué poca lástima me haçe | |
| | a mí el ser él, pues estimo | |
| | ber que a mis ojos acabe! | |
| MARIENE. | Bamos de aquí, que no tengo | |
| | ánimo para mirarle. | 300 |
| SIRENE. | Ni yo yra para que | |
| | muera sin que yo le mate. | |
| LIBIA. | Ni yo balor, que en tal pena | |
| | sufra, disimule y calle. *(Vanse.* | |

*Sale el* TETRARCA *y* FILIPO *trayendo a* TOLOMEO *desnudo y erido con el puñal en el hombro.*

| | | |
|---|---|---|
| FILIPO. | Ya del mar estáis seguro, | 305 |
| | ynfeliçe navegante.* | |
| TETRARCA. | Y de la herida, pues ay | |
| | quien de ella el puñal os saque. | |
| TOLOMEO. | Detente, señor, detente: | |
| | no le quites, no le arranques, | 310 |
| | porque a ber la puerta abierta | |
| | sus espíritus no exale | |
| | el alma. Ya que los ados | |
| | solamente en esta parte | |
| | son piadosos, pues me dan | 315 |
| | para berte y para hablarte | |
| | tiempo, no se pierda el tiempo. | |

Mi muerte y la tuya saue.
Tetrarca. ¿Tholomeo? [Fol. 7r]
Tolomeo. Sí, señor.
Tetrarca. Llebalde de aquí, llebalde 320
a curar.
Tolomeo. Oye primero,
que quando el riesgo es tan grande,
menos ynporta mi vida
que la tuya; y así, antes
que acabe mi poco aliento 325
desdichas que son tan grandes,
oye las tuyas, señor;
y, quando elado cadáber,
me falte tiempo al deçirlas,
al saberlas no te falte. 330
Otabiano, en tierra y mar
ondas ocupando y valles,
llegó a Egito; salió Antonio,
con tu socorro a buscarle,
de Cleopatra aconpañado 335
en el Buçentoro, nabe*
que labró para él, si ya
no fué vago escollo fáçil
de asquas de oro guarneçido
de bronçes y de cristales. 340
Saludáronse a lo lejos,
ya castigados los parches,
ya ynspirados los clarines,
las dos capitanas reales
hasta que, de la galana 345
guerra estrecha[n]do los trançes*
fueron las jarçias Vesubios, [Fol. 7v]
fueron los buques bolcanes.
A los prinçipios fué nuestra
(aquí el aliento desmaye) 350
la fortuna, pero, ¿quándo*
fija estubo? ¡O ygnorante,
el que ynco[n]stante la dijo!
Pues con rumbos desiguales
en ser ynco[n]stante siempre, 355

es siempre la más constante.
Al tiempo que por nosotros
yba (¡ay de mí!) a declararse;
se embrabeçieron las olas,
y el mar, Nembrot de los ayres,* 360
montes puso sobre montes,
ciudades sobre ciudades,
tan en fabor de Otabiano,
que gozando faborable
el barlobento, y nosotros 365
padeciendo sus enbates,
fué fuerça que nuestra armada,
como estaba açia la parte
del puerto, al abrigo suyo
rota bentada se ampare, 370
bien que tan rota y desecha,
que si la sigue el alcançe
Otabiano en él, no dudo
que la eche a pique, o la abrase,
de cuyas resultas yo 375
no puedo (¡ay de mí!) ynformarte; [Fol. 8r]
porque tomando la buelta
de Jerusalén mi naue,*
caballo fué desbocado,
que perdido el gobernalle, 380
no ay rienda que le corrija
ni bocado que le pare.
Atormentada la aquilla*
desmantelado el belamen,
los árboles destroncados, 385
enmarañados los cables,
y trayendo ya en la escota
arena y agua por lastre,
casi a bista de las torres
que divisa el mar de Jafee,* 390
fué ruyna de ynculto vajo,
donde vna tabla, a los ayes
repetidos mi delfín,*
fué enseñada a sus piedades.
¿Quién creiera que la suerte* 395

en vn hombre que se bale
de la piedad de vn fragmento
pudiera açer otro lançe?
Dígalo yo, pues yo vi,
quando de la orilla el marjen 400
ya pensé que me admitía,
de azero vn sañudo sacre,
que a haçer como en cuerpo muerto
en mí la presa se abate;
éste pues que de mi vida 405
royendo está los ynstantes,
sólo el deçir me permite
que oy Otabiano triunfante [Fol. 8v]
queda en [E]jipto, que Antonio
o sitiado o muerto yaçe; 410
que de Aristóbolo, hermano
de tu esposa, no se sabe;
y en fin, que tus esperanças
como el humo se deshaçen;
y más, si Otabiano llega 415
a saver que a Antonio vales,
y ya que de tus desdichas,
siendo él todo, no soy parte,
dales sepulcro a las mías;
aunque las mías son tales, 420
que ellas se harán sepulcro,
por blasón de que en él yaze
el crïado más leal
y el más desdichado amante.

Tetrarca. El ser vno desdichado 425
todos an dicho que es fácil,
mas yo digo que es difícil,
que es tan yndustrioso arte
que aunque le platiquen todos,
no le a penetrado nadie.— 430
Quitadme ese asombro, ese
funesto orror delante,
llebalde donde le curen. *(Llebanle.*
Y aquese puñal guardalde,
que ynporta saber qué debo 435

haçer dél, ya que él me açe [Fol. 9r]
tenerle por sospechoso.—
¡Ay Filipo! hagan alarde
mis suspiros de mis penas,
mis lágrimas de mis males. 440

FILIPO. Señor, los grandes suçesos
para los sujetos grandes
se hiçieron, porque el balor
es de la fortuna examen;
¿a qué crisol se aberiguan 445
los jenerosos quilates
de vn éroe si no a los toques
del ado que es su contraste?
Ensancha el pecho, verás*
que en él tus desdichas caben 450
sin que a la boz, ni a los ojos
se asomen.

TETRARCA. ¡Ay! que no sabes,
Filipo, quál es mi pena,
pues quieres darla esa cárçel.

FILIPO. Sí sé, pues sé que as perdido 455
tal república de naves.*

TETRARCA. No es su pérdida la mía.

FILIPO. Serála el mirar triunfante
a Otabiano con la duda
de que penetre o alcançe 460
ser su enemigo.

TETRARCA. No tengo
miedo a las adbersidades.

FILIPO. De Aristóbolo tu hermano,
ni de Marco Antonio saues. [Fol. 9v]

TETRARCA. Quando sepa que murieron, 465
tendré embidia a bien tan grande.

FILIPO. Los presajios del puñal
premisas son bien notables.

TETRARCA. Al manánimo barón
no ay prodijio que le espante. 470

FILIPO. Pues si prodijios, fortunas,
pérdidas, adbersidades
no te aflijen, ¿qué te aflije?

Tetrarca. ¡Ay, Filipo! no te canses
en adibinarlo, puesto 475
que mientras no adivinares
que es amor de Marïene,
todo es discurrir en balde.
Todos mis hanelos fueron
coronarla y coronarme 480
en Roma, porque no tenga
que enbidiar mi esposa a nadie.
¿Por qué a de goçar belleza,
(que no ay otra que la yguale,
en fe de marido) vn hombre* 485
que ay otro que le aventaje?
¿No será mejor que (en fee
de galán) su nombre ensalçe
y si ella es la más hermosa,
sea él el más amante? 490
¿Cómo e de ygualar estremos
si no es con que haçerla trate
la más alta, quando ella
el más dichoso me hace?
Piérdase la armada, muera* [Fol. 10r]
Antonio mi parcial, falte 496
Aristóbolo, Otabiano
sepa o no mi yntento, mande
buelba el prodijioso açero
a mi poder; que a postrarme 500
nada basta, nada ynporta,
sino que el medio se atrase
de haçer reyna a Marïene
del mundo; ya en esta parte
dirás y lo dirán todos 505
que es locura; no te espante,
que quando amor no es locura,
no es amor; y el mío es tan grande,
que pienso (atiende Filipo,
que pasando los vmbrales 510
de la muerte, a de quedar
a las futuras edades
grabado con letras de oro
en laminas de diamante. *(Vanse.*

*Caja y trompeta dentro y salen* Otabiano *con bastón y corona de laurel, y como presos* Aristóbolo *vestido pobremente, y* Polidoro *con gala, desaliñadamente bestido* Patricio, *capitán y* soldados.*

*Dentro* Unos. ¡Viba Otabiano!
Otros [*dentro*]. ¡Viva! 515
Capitán. Como a su César Menfis le reciba,*
puesto que como a tal ya le ydolatra,
a despecho de Antonio y de Cleopatra.*
Otabiano. Pues me da la obediençia,
el saco çese, çese la violencia, [Fol. 10v]
que basta que por César me reciba. 521
Todos. ¡Muera Cleopatra, y Otabiano biba!

*Salen y suenan cajas.*

Otabiano. Feliz es la suerte mía,
pues de Ejito bitorioso,
dilato la monarquía* 525
de Roma, dueño famoso
de los términos del día.
Cante, pues, bitoria tanta
la fama, y en testimonio
de quanto en mí se adelanta, 530
sean triunfos de mi planta
oy Cleopatra y Marco Antonio.
Seguildos, que mi bentura
llebarlos presos procura
donde, triunfador biçarro, 535
sean fieras de mi carro*
el poder y la hermosura.
Capitán. Aunque abemos discurrido
de Cleopatra el gran palacio,
hallarla no emos podido, 540
ni [a] Antonio, porque su espacio
laverinto de oro a sido,
en que sólo emos allado
[a] Aristóbolo, cuñado
del que oy a Jerusalén 545

Tetrarca rije, de quien
nos ynformó ese criado. *(Señala* [*a*] ARISTÓBOLO.
Contra ti lidió y assí,
porque aberigües aquí
sus disinios, le traemos 550
de la parte en que le abemos [Fol. 11r]
oculto allado.

POLIDORO [*aparte*]. ¡Ay de mí!
¿Quál diablo me metió, quál
demonio en engaño tal?
Señores, ¿no es necio herror, 555
porque él biba de traidor,
que muera yo de leal?

ARISTÓBOLO [*aparte a* POLIDORO]. Si así la vida me das,*
no temas: seguro estás,
que yo a ti te la daré. 560
Disimula pues.

POLIDORO [*aparte*]. Sí aré,
asta que no pueda más.
Grande César Otabiano,
cuyo renombre ynmortal
el tiempo asegure vfano 565
en estatuas de metal,
que yntento borrar en bano:
no desdores riguroso
los aplausos que as tenido
con sangre; que es ser piadoso 570
vencedor con el bençido,
ser dos beçes bitorioso.

OTABIANO. Aunque pudiera ¡o baliente
Aristóbolo! bengarme
en tu vida dynamente, 575
pues contra mí estás, mostrarme
quiero piadoso y clemente.
Llega a mis braços.

POLIDORO. Si fuí
tan feliz, ya desde aquí
no enbidiaré altas esferas. [Fol. 11v]
Juro a Dios que hablé de beras, 581
¿quién lo creiera de mí?

Otabiano. Alça, alça del suelo, y pues
el fin de mis glorias es
entrar en Roma triunfante, 585
con Marco Antonio delante
y con Cleopatra a mis pies,
dime dónde están; que no
e sabido dellos yo
desde que aquel Bucentoro, 590
armado risco de oro,*
en su puerto se abrigó.

Polidoro. Yo de los dos te dijera,
si yo de los dos supiera;
que siendo secreto, hallo 595
que hiçiera más en callallo,*
señor, que en deçillo hiçiera.
Mas desde que llegué aquí,
nunca más a los dos bi.

Otabiano. Eso no es agradeçer 600
mi piedad. Yo e de saber
de ellos, y a de ser así.—
¡Ola!

Capitán. Señor.

Otabiano. Al ynfante
Aristóbolo llebad
a vna torre, y ni vn y[n]stante 605
goçe de la claridad
del sol; la sombra le espante,
si de noche...

Polidoro [*aparte*]. Aquí llegó, [Fol. 12r]
señor, de tu engaño el fin.

Aristóbolo [*aparte*]. Disimula.

Polidoro. ¿Torre yo 610
y obscura? El demonio sin
duda me aristoboló.*

Capitán. Venid.

Aristóbolo. Calla.

Polidoro. ¿Qué es callar?
¡Bibe el çielo, que e de hablar!
¿Yo príncipe? En mi pecado 615
muy errado y muy culpado...

Otabiano. Llebalde. ¿Qué ay que esperar?
Y ese criado, el primero
padezca vn tormento fiero,
o muera en él de leal. 620

Polidoro. ¿Qué es tormento? (Mal por mal,
torre pido y noche quiero.)
Bamos a la torre, yo
soi Aristóbolo, no
errado ynfante, según 625
finjía. (Sin duda, algún
ánjel me aristoboló.)

Aristóbolo. Enfrena el fiero rigor,
sabrás de los dos, señor;
y de mi voz adbertido, 630
oyrás que los dos an sido
funestos triunfos de amor.
Apenas rota su armada
vió Antonio, quando la alada*
naue, açiéndose a la bela, 635
nada, pensando que buela,
buela, pensando que nada; [Fol. 12v]
pues con lijereça suma,
pez sin escama nadaba,
abe bolaba sin pluma, 640
tan beloz, que aun no le ajaba
vn solo riço a la espuma.
A Menfis en fin llegó,
donde reaçerse pensó
de la pérdida y tornar 645
a la canpaña del mar,
que tantos estragos bió;
mas biendo que le seguías
a Menfis, y que traías
de tu parte a la fortuna, 650
pues al orbe de la luna
de ella ynspirado subías;
lamentando mal y tarde
la pérdida de su jente,
sin que a ser tu ruina aguarde, 655
del estremo de baliente

dió al estremo de cobarde;
pues ciego y desesperado,
al panteón, colocado
a ej[i]pçios reyes, entró 660
y vna sepoltura abrió,
donde vivo y enterrado,
dijo, sacando el açero:
«nadie a de triunfar primero
de mí, que yo y solo, assí 665
triunfo yo mismo de mí, [Fol. 13r]
pues yo mismo mato y muero.»
Cleopatra que le seguía,
biendo que ya agoniçaba,
vañado en su sangre fría, 670
cuyo aliento pronunçiaba
más, quanto menos deçía:
«muera,» dijo, «yo tanbién,
pues por piedad, o por yra,
no cumple con menos quien 675
llega a querer bien, y mira
muerto lo que quiere bien.»
Y asiendo vn áspid mortal
de las flores de vn jardín,
dijo: «Si otro de metal 680
dió a Antonio trájico fin,
tú serás bibo puñal
de mi pecho, aunque sospecho
que no moriré a despecho
de vn áspid, pues en rigor* 685
no ay áspid como el amor,
y a días que está en mi pecho.»
Él con la sed benenosa
ydrópicamente bebe,
çebado en Cleopatra hermosa, 690
cristal que corrió la niebe,*
sangre que esprimió la rosa.
Yo lo bi todo, porque
así como aquí llegué,
el palaçio examinando, 695
a mi prínçipe buscando,

asta el panteón entré,
donde él, rendido al balor, (Fol. 13v]
y ella, postrada al dolor,
yazen, mostrando en su suerte 700
que aun no dibide la muerte
a dos que junta el amor.

Otabiano. Aquí dió fin mi esperança,
aquí murió mi alabanza,
que en altibo pecho real, 705
no a de pisar el vmbral
de la muerte la bengança.
Y pues ya triunfar no espero
de ellos, saber de ti quiero
estando de mí obligado, 710
el tetrarca tu cuñado,
¿por qué tan sañudo y fiero
tú militas contra mí?

Polidoro. Si tú estás diçiendo aquí
que es mi cuñado, señor, 715
¿no es el preguntarme error?
Porque tu contrario fuý.
Él es tu amigo leal,
pues con tu decreto real,
gobierna a Jerusalén, 720
y basta quererte él bien
para quererte yo mal.

Capitán. Si examinar su yntençión
quieres, quiçás la diré
yo, pues al darse en prisión 725
esta caja la quité;
joyas y papeles son,
de que algo podrás saber.

*(Abre la caja y saca vna joya entre otras.* [Fol. 14r]

Otabiano. Çifra es del mayor poder
sy ynestimable riqueza; 730
mas entre ellas la belleza
de vna estranjera mujer
es la más rica y mejor
joya, la de más balor.
No vi más biba hermosura 735

que el alma desta pintura.
ARISTÓBOLO [*aparte*]. Atento el emperador
en contemplar se detiene
entre las joyas (que darme
como a hermano, Marïene 740
quiso al tiempo de enbarcarme)
aquélla que en sí contiene
su hermoso retrato fiel. *(Saca vn papel y lee.*
Mas ¡ay fortuna cruel!
ber los papeles porfía. 745
¡Mal aya el hombre que fía*
sus secretos de vn papel!

*Lee* OTABIANO. «El fin de nuestras feliçidades consiste en mantener la guerra y así procurarás que el socorro que a Marco Antonio llebas sólo sirba contrapesar las bentajas de Otabiano; procurando que el vno al otro se desagan, porque en biéndolos enflaqueçidos, pueda yo declararme y enperador de Roma....»*

¿Qué tengo que esperar más?
Y pues sospechoso estás,
y aun conbençido conmigo, 750
mientras pienso tu castigo,
en vna torre estarás.
POLIDORO. No son buenos pensamientos
andar pensando tormentos.
¿No será mucho mejor, [Fol. 14v]
que no castigos, señor,* 756
pensar gustos y contentos?
OTABIANO. Llebalde de aquí.
POLIDORO. Escuchar
debes; yo... *(Llebanle los* SOLDADOS.
OTABIANO. No ay que aguardar.
POLIDORO. Sí ay.
SOLDADO. Venid.
POLIDORO. Hago testigos 760
que no ay que pensar castigos,
pues no me dejan hablar. *(Llebanle.*
OTABIANO [*al* CAPITÁN]. Tú partirás al momento

con jente y armas, y atento
a mi çesárea obediençia, 765
traerás preso a mi presençia
al tetrarca; donde yntento (*Vase el* Capitán.
que su castigo me dé
de aver contra mí aspirado
satisfaçión. [*A* Aristóbolo] Tú, porque. 770
en efecto eres criado
en quien tal lealtad se be,
darte libertad espero;
pero por rescate quiero
que en canje tuyo me des 775
el deçirme cúyo es
este retrato.

Aristóbolo [*aparte*]. Aquí muero
de confusión: si le digo
quién es, a amarla le obligo;
desesperalle es mejor; 780
halle ynposible su amor
al prinçipio, pues consigo [Fol. 15r]
su olbido assí. Esa pintura
que vn tiempo fué llama pura,
al soplo de vn açidente, 785
es ya sombra solamente
de vna difunta hermosura.
Casar con ella pensó
Aristóbolo, mas no
quiso amor que mortal fuera 790
su dueño, y así a otra esfera
para sí se la llebó.

Otabiano. ¿Muerta es esta beldad?

Aristóbolo. Sí.

Otabiano. Sin esperança, (¡ay de mí!)
ya con lástima la veo. 795

Aristóbolo [*aparte*]. Bien se logró mi deseo.

Otabiano. Libre estás, bete de aquí.

Aristóbolo [*aparte*]. El çielo vida te dé,
de tanto ynfeliz suçeso,
qüenta al tetrarca daré, 800
huyendo de aquí, antes que

se sepa quién es el preso. *(Vasse.*

OTABIANO. La muerte y el amor vna lid dura
tubieron sobre quál era más fuerte,
biendo que a sus arpones de vna suerte 805
ni el alma ni la vida sea segura.
Vna hermosura, amor, dibina y pura
perficionó, donde su triunfo adbierte;
pero borrando su esplendor la muerte,
se vengó del amor y la hermosura. 810
Viéndose amor entonces excedido, [Fol. 15v]
la deidad de vna lámina aperçibe,
a quien borrar la muerte no a podido.
Luego bien el laurel amor reçiue,
pues de quien vive y muere, dueño a sido, 815
y la muerte lo es sólo de quien vibe. *(Vase.*

*Sale* LIBIA.

LIBIA. Por las faldas lisonjeras
destos elebados riscos,*
que son del puerto de Jafee
enamorados narçisos,* 820
en tanto que Marïene,
sólo atenta a los delirios*
de sus hados, soliçita
con músicos dibertirlos,
a divertir yo tanbién 825
mis pesares me retiro,
por no llorar los ajenos
pudiendo llorar los míos.
Sola estoy, salga del pecho
en açentos repetidos 830
mi dolor. ¡Ay Tolomeo!
En tanto que lloro y jimo
desdichas tuyas, admite
este llanto que te embío,
como en disculpado que 835
yo ocasione tus peligros,
pues ya fuera más dichoso
si fuera menos querido.

Quando bitorioso, (¡ay triste!)
esperaba mi albedrío [Fol. 16r]
el casto fin de tu amor, 841
muerto as llegado y bençido.
Pues ¿cómo, cómo mi pecho
cobardemente rremiso
sin saber de ti, aunque sé 845
que bibes, pues que yo bibo
abandonando el secreto
no está repitiendo a gritos...?

*Canta* SIRENE [*dentro*]. *Por que aun no me consuelen*
*lágrimas y suspiros,* 850
*llebe el mar lo llorado,*
*y el ayre lo jemido.*

LIBIA. La dulce boz de Sirene,
por más que me [a] aborrecido,
desde que supo ser yo 855
por quien Tolomeo no bino
en el casamiento que
con él su padre açer quisso,
a su pesar lisonjera,
parece que habla conmigo 860
y en mi fabor, pues su açento
a mi propósito dijo:

ELLA *y* SIRENE. *Por que no me consuelen*
*lágrimas y suspiros,*
*llebe el mar lo llorado,* 865
*y el ayre lo jemido.*

*Cantando y representando y salen* MARIENE *y* SIRENE.

MARIENE. Nunca más, Sirene mía,
tu boz me sirbió de alibio.
Pareçe que te dictó
mi pena el funesto ritmo 870
deste tono; buelbe
otra bez a repetirlo.

SIRENE. Y otras mil, que ia sé que
con lo que es triste te sirbo.

LIBIA. A no mandárselo ella, 875

la pidiera yo lo mismo,
pues a tus luçes el tono
está diçiendo a tus besos: [Fol. 16v]
LAS TRES. *Por que no me consuelen*
*lágrimas y suspiros,* 880
*llebe el mar lo llorado,*
*y el ayre lo jemido.*

*Salen* FILIPO *y el* TETRARCA.

FILIPO. Este es, señor, el puñal,
que ya vna bez despedido
de tu mano, buelbe a ella. 885
TETRARCA. Con quánto asombro le miro,
como a fatal ynstrumento.
Mas di, ¿cómo se a sentido
Tolomeo?
FILIPO. No es la herida,
señor, de tanto peligro, 890
como la falta de sangre,
de que va cobrando bríos.
LIBIA. Buenas nuebas te dé Dios;
la primera vez a sido
que llegó el contento a caso. 895
SIRENE. Mal aya voz que tal dijo,
sino que ya hubiese muerto.
TETRARCA. ¿Marïene?
MARIENE. ¿Esposo mío?
TETRARCA. Jirasol de tu hermosura,
la luz de tus rayos sigo,* 900
bien como la flor del sol,
cuyos çelajes pajiços,
tornasolados a rayos
y yluminados a jiros,
le ban siguiendo, porque 905
ymán del fuego atratibo, [Fol. 17r]
le hallan su vista, o su ausençia,
ya luçiente o ya marchito.
MARIENE. Ya que del fuego te bales,
sea amor o sea artifiçio, 910

yo también; pues como aquel
pájaro, a quien fué su nido*
y su sepulcro vna llama,
enamorando el peligro
sobre la oguera de pluma, 915
vate las alas de bidrio,
asta quedar en su ynçendio,
hijo y padre de sí mismo:
así yo, que a tanto sol
vida muriendo reçibo 920
asta que a sus rayos muera,
me parece que no bibo.

Tetrarca. Dejadnos solos.

Libia. Fortuna
pues que faborable e bisto
tu rostro vna bez, prosigue 925
sin que tuerças el camino,
pues ya le andubiste, que ay
desde el llanto al regoçijo. (*Vase* Libia *y* Sirene.

Tetrarca. Ya, dibina Marïene,
que sólo serán testigos 930
de mi fineça estos mares,
y de mi afecto estos vicios,
dejando parte el cuydado [Fol. 17v]
de la nueba que a traído
Tolomeo, porque sólo 935
el tuyo bibe conmigo,
oye: este ynfausto puñal,
açerado basilisco*
que siempre amenaça estragos,
o biendo él o siendo bisto, 940
es aquel que la dudosa
çiençia del hado prebino
para omicida de quien
más adoro y más estimo.
Y aunque es verdad que, constante, 945
a acondiçionados juiçios
no doy crédito y desprecio
los conti[n]jentes abisos
del hado y de la fortuna

(dioses que coloca el bicio), 950
no sé qué nuebo temor
en mi pecho a yntroducido
berle bolber a mi mano,*
que con asombro le miro; [Fol. 18r]
y del miedo, y el balor, 955
ya animoso, ya remiso,
sitiado a más no poder,
me quiero dar a partido.
Porque aunque yo nunca creo
casuales batiçinios,* 960
no los dudo; que no ygnoro
que ese estrellado çafiro,*
república de luçeros,
y bulgo de astros y signos
a quien le sabe leer 965
es enquadernado libro,
donde están nuestros alientos
asentados por registro.
Y así, ni dudando bien
ni bien creiendo, ymajino 970
que el perfecto barón debe
a los sucesos prebistos
darlos al crédito en vna
parte, y en otra al olbido:
aquí para no esperarlos, 975
y allí para prebenirlos.
Yo pues, entre ambos afectos,
vaçilante y discursibo,
ni creiendo ni dudando,
el puñal a tus pies rindo. *(Ponele a sus pies.* 980
Tú eres, bellísima ebrea,
la luz hermosa que sigo, [Fol. 18v]
la ymajen que sola adoro,
la deidad que sola sirbo.
No es posible que yo quiera, 985
si ynmortal al tiempo vibo,
otra cosa más que a ti:
tanto que mil beçes digo
que el ymajinado monstro

que te amenaça a prodijios, 990
es mi amor, pues por quererte,
a tantas cosas aspiro,
que temo que él a de ser
quien labre nuestro ovilisco.*
Pues si lo que yo más quiero 995
eres tú, y el çielo mismo
no puede açer que no seas,
sin borrar lo que ya hiço;
tú eres a quien amenaça
el cruel áspid bruñido,* 1000
que a tus pies se desimula
entre dos cándidos lirios.*
Yo quise açer ynposible
tu muerte, quando atrebido
arrojé al mar el puñal; 1005
pero abiendo vna bez bisto
que aun en él no está seguro,
pues por casos esquisitos,
podrá llegar donde estés
siempre ygnorando el peligro, [Fol. 19r]
para más seguridad 1011
tuya, cuerdo he prebenido*
que tú, árbitro de tu vida,
traigas tus ados contigo;
que mayor felicidad 1015
nadie en el mundo a tenido,
que ser, a pesar del tiempo,
el juez de su bida él mismo.
La parca, que nuestra edad*
tiene pendiente de vn ylo, 1020
para que el tuyo no corte,
pone en tu mano el cuchillo.
En tu mano está tu suerte:
bibe tú sola a tu arbitr[i]o,
pues al cortarle el aliento, 1025
podrás enbotarla el filo.
Y si este amor y ese açero
son oy tus dos enemigos,
mientras a que él te corona

de mil laureles ynbictos, 1030
triunfa tú de ése, y al fin
dueño tú de tu albedrío,*
guárdate tu vida tú,
húyete tú tu peligro,
hazte tú tu duraçión, 1035
lábrate tú tus desinios,
qüéntate tú tus alientos,
y bibe al fin tantos siglos,
que los sepa la memoria
y que lo sepa el olbido. 1040

*(Yéndose [un poco, y se detiene].*

Mariene. Oye, aguarda, escucha, espera; [Fol. 19v]
que aunque agradesco y estimo
el don que a mis plantas pones,
ni le açeto ni le admito;
que en metáfora de áspid, 1045
al presumir que le piso,
de mirarle me estremezco,
de berle me atemoriço,
pero ronpiendo al silencio
las prisiones y los grillos, 1050
con que en cárçeles de yelo
el pabor ponerlos quiso,
ya en mí cobrada pretendo
arguïrte que no a sido
cuerda determinación 1055
(si bien de tu amor yndiçio)
la que contigo as tomado
y ejecutado conmigo.
Dejo aparte si es jactançia
el darse por entendido 1060
oy mi amor de que yo sea
del tuyo sujeto dyno;
y creyéndote cortés
(pues por amante y marido
me está tan bien el creerlo), 1065
de esta manera prosigo:
si ese tenplado veneno
es el que cruel y esquibo

el ado esquibo y cruel
contra mi pecho prebino, 1070
¿quién te persuadió, señor, [Fol. 20r]
quién te ynformó, quién te dijo
que era la seguridad
de mi vida traer conmigo
la ejecución de mi muerte, 1075
y que podrán ser amigos
y haçer buena conpañía
la vida y el omicidio?
Si éste mi vida amenaça
con estragos, ¿es motibo 1080
para escusar que se encuentren,
haçer que anden vn camino
y vayan de camarada
el acaso y el peligro?
¿Fuera buena prebençión 1085
en el humano sentido,
para estorbar que se abrase
este eminente edifiçio,
sitiarle de fuego? ¿Fuera
vien, ya una bez encendido, 1090
para apagarle sembrar
de pólbora sus distritos?
¿Fuera, ya vna bez çercado
del negro alquitrán noçibo,
vien darle espera a que soplen 1095
del elado norte frío
los ábregos y los çierços?
Pues piensa que es esto mismo
lo que yntentas, pues yntentas
el que no estén dibididos 1100
este puñal y este pecho; [Fol. 20v]
pues an de ser enemigos,
por más que juntos los beas,
cautelosamente ynpíos,
vida y muerte, yra y piedad, 1105
sombra y luz, virtud y bicio.
Confieso que la raçón
es fuerte, quando adbertido

diçes que no es ocultarle
remedio, pues ya le bimos 1110
bolber del mar a tu mano;
y que será gran martirio,
confieso tanbién, estar
dudando siempre aflijido
vn pecho, ¿quién será agora 1115
dueño de los ados míos?
Pero entre apartarle tanto*
que dude quién abrá sido,
y açercarle tanto, que
sepa que está tan beçino, 1120
aya vn medio, y sea ponerle
con tal dueño, y en tal sitio,
que lo sepa, y no le tema. *(Lebántale.*
Tú le as de tener çeñido:
pues si del juiçio me acuerdo, 1125
el astrólogo no dijo*
que abías tú de dar la muerte
a lo que más as querido
con él, sino que con él [Fol. 21r]
moriría; y pues colijo 1130
que puede abor[r]eçer otro
lo que tú quieres, delito
será, echándole de ti,
dar armas a tu enemigo,
pues podrá benir a manos 1135
de quien me aya aborreçido.
Así, señor, yo te ruego,
y así, mi bien, te suplico
que tú, alcayde de mi vida,*
traigas el puñal contigo. 1140
Con eso seguramente
sabré que aquel tiempo bibo
que tú le tienes. Y escucha,
otro argumento te pido.
O tú me quieres o no: 1145
si me quieres, no peligro,
pues a lo que tú más quieras
no as de dar muerte tú mismo.

Si no me quieres, no soy
a quien arrastra el destino 1150
de tu amor, con que tanbién
de la amenaça me libro.
Luego olbidada o querida,
mis sobresaltos desbío,
mis sospechas desbanesco, 1155
mis quietudes façilito,
mis deseos aseguro, [Fol. 21v]
mis consuelos soliçito,
mis reçelos acobardo,
y mis temores animo, 1160
sólo con que sea la guarda
de mi vida tu cariño.

TETRARCA. Tanto, mi bien, la deseo,
que a serlo desde oy me obligo.
Y ¡ojalá fuera berdad, 1165
no prebençión, este estilo,
para que eterna bibieras!
Y así, a tus boçes mobido,
en tu nombre, Marïene,
segunda bez me le çiño. 1170

*Al tomar el puñal, cajas y golpes dentro y salen* CAPITÁN *y* SOLDADOS.

CAPITÁN. ¡Sitiad la quinta, romped
las puertas, y entrad conmigo!

TETRARCA. Pero ¿qué alboroto es éste?

MARIENE. ¿Quién ocasiona este ruido?

CAPITÁN. Quien de parte de Otabiano 1175
biene por aber sabido
de Aristóbolo, que queda
preso, el alebe motibo*
conque el ayudar [a] Antonio
era aspirar al ynbicto 1180
laurel de Roma, y pues muerto
él yaçe, y tú conbençido,
conque queda vnico César
Otabiano a quien yo sirbo.

Date a prisión.
TETRARCA. ¿Yo a prisión? 1185
CAPITÁN. Y no yntentes resistirlo, [Fol. $22^{r}$]
que toda Jerusalén
aviendo el caso entendido
está contra ti, y el horden
es llebarte muerto o bibo. 1190
TETRARCA. Muerto será porque yo
no e de darme a otro partido.
MARIENE. ¡Ay ynfeliçe!
SOLDADO. ¡A prisión
te das!
TETRARCA. En bano (me) rresisto.*
CAPITÁN. Baya arrastrando a la nava. 1195
TETRARCA. ¡Marïene!
MARIENE. ¡Esposo mío!
CAPITÁN. Retiralda a ella también,
que enterneçen sus jemidos.
TETRARCA. Tu amor a morir me lleba.
MARIENE. El tuyo no menos fino, 1200
antes que a ti padeçerlo
me matará a mí el sentirlo.
TETRARCA. ¡Adiós para siempre!
MARIENE. !Adiós
para nunca allar alibio!
TETRARCA. Ya que a boluntad del hado. 1205
MARIENE. Ya que a eleçión del destino.
TETRARCA. Toda mi vida es portentos.*
MARIENE. Toda mi vida es prodijios.

---

Vea esta comedia del mayor monstro [Fol. $22^{v}$] los çelos el censor y después el fiscal y tráygase antes de hacerse con la censura.

Madrid a 30 de $7^{bre}$ de 1667.

(Rúbrica)

Señor, he visto esta comedia del Mayor Monstro los Çelos, y siendo vna de las mayores que ha escrito D. Pedro Calderón le da más que admirar que reparar a la censura éste será el sentir de todos.

M[d] a 2 de octubre de 1667.

D. Francisco de Avellaneda.

(Rúbrica)

Hágase

(Rúbrica)

Señor, he visto esta comedia del maior monstro los çelos de Don Pedro Calderón y tiene tantos primores como cláusulas: M[d] a 6 de octubre de 1667.

Don Fermín de Sarassa y Arce.

(Rúbrica)

Hágase, Madrid a
8 de octubre de 1667.
(Rúbrica)

Hágase, M[d] 21 de abril
de 1672.
(Rúbrica)

*Jesus Maria Joseph* [Fol. 23r]

# El Mayor Monstruo los Çelos

## SEGUNDA JORNADA

### [*Sala en palacio de Menfis*]

*Córrese una cortina, y vese a vn lado del tablado el* SOLDADO 1º, *como sustentando de la parte de abaxo vn retrato entero de Mariene; y el* SOLDADO 2º *de la parte de arriva, como que le está colgando sobre vna puerta que abra en el vistuario.*

SOLDADO 1º. Ya que en sus melancolías
no ay cosa que le diuierta 1210
más, que en varios trajes ver
repetida esta velleça,
y éste es el mexor retrato
de quantos de la pequeña
lámina al lienço pasó 1215
del noble arte la exçelençia,
pongámosle de su quarto
sobre el marco de la puerta,
para que quando entre y salga
a todas oras le vea. 1220
SOLDADO 2º. Vien as prevenido.
SOLDADO 1º. Pues,
sea presto, que ya llega.
SOLDADO 2º. Con la prisa que me das, [Fol. 23v]
no sé si vien puesto queda.
¡Quiera Dios que no se cayga, 1225
vençido el clavo o la cuerda!

*Quítase el* SOLDADO *y sale* OTAVIANO.

OTABIANO. Pasión tan desesperada,
que al primer paso tropieça
en vn y[m]posible, y cay*

en otro, queriendo çiega 1230
dar vna esperança viva
en vna hermosura muerta,
vien se ve que no es pasión,*
sino locura, y de tema
tan ynbençible, que triunfos, 1235
aplausos, lauros, y enpresas
no la alivian, puesto que
ni todo ni parte sean
a echar de mí vna aprehensión
tan reueldemente neçia. 1240

Soldado 1º. Como mandaste, señor,
que en todo Menfis se hiçieran
deste pequeño retrato *(Dale el retrato.*
varias copias, truje ésta,*
por ser la más pareçida. 1245

Otabiano. Dizes vien, pues no pudiera
averla mexor sacado
el pinçel, quando corriera
las líneas, y los vosquexos
al lienço desde mi ydea. 1250
¿Que nunca me ayas sauido, [Fol. 24r]
o con maña o con cautela,
de Aristóbolo quién fuese
alma de deydad tan vella?

Soldado 1º. Con ese yntento mil veçes 1255
a la torre que le ençierra
de guarda entré, pero nunca
lo supe; que de manera
Aristóbolo a perdido
el juyçio desde que en ella 1260
está, que es en vano ya
que a nada en raçón atienda.

Otabiano. ¿Qué dizes?

Soldado 1º. Que solamente
desatinos dize y piensa.

Otabiano. No me espanto (¡ay ynfeliçe!) 1265
si la causa que le fuerça
a perder el juyçio a sido
perder esta hermosa prenda.

¿Cómo es conpatible (¡o rara
veldad!) que un delirio sientan 1270
dos, el vno, porque te halle,
y el otro, porque te pierda?
¡Qué mal hiçe, quando neçio
de amor y de su violençia,
culpé [a] Antonio que adorase 1275
a aquella gitana, aquélla*
que en los teatros del mundo*
hiço la mayor traxedia!
¡O qué vien vengado está
de mi altivez, y soberuia! [Fol. 24v]
Pues para mayor trofeo, 1281
con ynstrumento se venga
tan fáçil como vn retrato,
y ése de vna veldad muerta. *(Cajas destempladas.**
Pero ¿qué es aquesto? Quando* 1285
triste pronunçia mi lengua
«muerta veldad,» me responden
las caxas, y las tronpetas
destenpladas. ¿Si los çielos,
si los montes, si las seluas, 1290
si los vientos, si los mares,
quando mi voz les acuerda
de ygual pérdida la ruyna,
conpadeçidos çelebran
desta difunta hermosura 1295
repetidas las exequias? *(Las cajas.*
Otra vez, ¡piadosos çielos!
suena el rumor de más çerca.
Ved quién ese pavor causa.

Soldado 1º. Mucho estraño que las señas* 1300
no te lo digan, pues es
çeremonia vsada ésta
de los várvaros gitanos,
sienpre que rendida o presa
alguna persona real 1305
en su corte sale o entra.

Otabiano. Pues ¿quién entra o sale oy
o preso o rendido en ella? [Fol. 25r]

*Sale* [el Capitán].

Capitán. El Tetrarca, a quien tú diste
orden de que yo le prenda, 1310
y viendo quánto supone
virrey que por ti govierna,
vsando la çeremonia
de que con sus armas venga,
y con salva se reciua, 1315
vien que trájica y funesta,
llega a tus pies.

*La caja*, soldados *y el* Tetrarca.

Otabiano. Más estimo
ver postrada esa soberuia,
que el alto triunfo con que
Roma reciuirme espera. 1320
Quede él solo, y los demás
salgan, Patriçio, allá fuera,
que por si acaso mi enojo
tras sí mis acçiones lleua,
no quiero que nadie ayrado 1325
con vn rendido me vea.
Tenplad vos, pues sois mi espexo,
mi cólera. *(Mira al retrato que tendrá en la mano.*

Tetrarca [*aparte*]. Suerte adversa,
¿a qué más pudo llegar
de tus çeños la ynfluençia? 1330
Ynvicto Octauiano, cuyo*
nombre en láminas eternas
el tiempo escriua, dictado
de las plumas y las lenguas,
a tus pies llego ofendido, 1335
porque para que vinieran [Fol. 25v]
mi lealtad y mi valor
a rendirte esta obediençia,
no era menester que fuesen
por mí; que el que se respeta 1340
por fuerça quando por gusto

puede, a sí mismo se afrenta,
pues quita a la voluntad
lo que le añade a la fuerça.

*(Alarga otra mano en que no tiene el retrato, y el* Tetrarca, *al vesar la vna, mira a la otra.*

Dame tu mano. [*Aparte*] Mas ¡çielos 1345
diuinos! al vesar ésta,
¿qué es lo que en aquélla miro?
¿Abrá en el mundo quien veva
dos venenos a dos manos,
y a vn mismo tiempo los sienta 1350
en los lauios y en los ojos?

*(Boluiendo la espalda, y él de rodillas tras él.*

Otabiano. Si ynformado no estubiera
de mi raçón, a la tuya
bastante crédito diera;
pero si son destenpladas 1355
cláusulas, que no concuerdan
esa afectada humildad
con tu traydora soberuia,
no violençia, no rigor
la prebençión te parezca; 1360
que con vasallos que son
de los de «¡Viva quien vença!»
fuerça es que la voluntad
se aprobeche de la fuerça.

Tetrarca [*aparte*]. ¡Mortal estoy, dadme, dioses, [Fol. 26r]
valor, que quiçá no es ella! 1366
¡Que tan presto la ocultase!
Si contra mí te aconsexa
quien pretende...

Otabiano. No presumas,
que mal adbertido hiçiera 1370
estremos tales; de ti
sé la anbiçión con que yntentas
conspirar al sacro ynperio,
a cuyo efeto, la guerra
mantenías, dando a Antonio 1375
los socorros para ella.

*(Saca vnas cartas y póneselas con el retrato.*

Estas firmas te conbençen:
dellas lo sé. Llega, llega,
míralas vien, tuyas son,
míralas.

Tetrarca. Yo miro, al verlas, 1380
mi muerte más declarada
de lo que aun tú mismo piensas,
pues... yo... sí...

Otabiano. Esa turbaçión
es ya segunda evidençia,
Pero quien a vn Ydumeo* 1385
honrró, vaja estirpe hebrea,
reuelada de sus nobles
tribus, esto y más merezca.
Y así, mientras tu castigo
a los demás escarmienta, 1390
saue que soy Otauiano, [Fol. 26v]
que soy el ýnico Çésar
de Roma, que el Nilo y Tíber*
humildes mis plantas vesan;
y que a quantos contra mí 1395
con trayçiones, con cautelas
quieran conspirar, negando
a mi poder la obediençia,
seré yo quien los corone
del laurel, para que sean, 1400
con vn ynpulso a mis plantas
con vna acçión a mis güellas,
dos trofeos de una vez,
mi laurel, y su caueça.

*(Vase azia la puerta del retrato.*

Tetrarca [*aparte*]. ¡Que esto escuchen mis oýdos, 1405
y aquello mis ojos vean,
sin quel dolor me despeñe!
Yo e de morir, cosa es çierta,
a sus manos, o a mis çelos:
pues él a mis çelos muera, 1410
y a mis manos; que vna vida
tan grande, no es vien se venda
a menor preçio.

*(Al entrarse* Otabiano, *va a darle el* Tetrarca. *Cae el retrato, claua en él el puñal, y buelve.**

Otabiano. ¿Qué es esto?
Tetrarca. Desesperada ynpaçiençia,
que a de costarme el deçirla 1415
aun mucho más que el azerla.
Otabiano. ¡Tú con el desnudo açero,
quando yo la espalda buelta,
y entre tu açero y mi espalda [Fol. 27r]
esta hermosa ymajen puesta! 1420
¡Tú turbado, yo seguro,
y ella erida! ¡Tú con muestras
de venganças, yo de agravios,
y ella de piedades! ¡Muerta
tú la acçión, yo vivo el riesgo, 1425
y ella ofendida! Vive ella
(que como a deydad que adoro,
vien puedo este obsequio açerla)
que este sacrílego açero,
ya que orrores representa, 1430
el ynstrumento a de ser,
pues lo fué de tu violençia, *(Toma el puñal.*
de tu castigo: vea el mundo
que el que me agravia, me venga.
Ola.

Capitán *y* soldados.

Capitán. ¿Señor?
Otabiano. A la torre 1435
donde su hermano se ençierra,
lleuad tanvién al Tetrarca,
donde sólo vn criado tenga
de los que le ayan seguido.
Tetrarca. Quando mi sepulcro sea, 1440
la vida debo a vn puñal;
yo le pagaré con ella. *(Llévanle.*
Otabiano. Y yo la vida a vn retrato;
y pues que de otra manera
no puedo, con adorarle 1445
tanvién pagaré mi deuda. *(Vase.*

*Buelve a cubrir la cortina el retrato, y salen dos* SOLDADOS, *y* POLIDORO *paseándose.*

SOLDADO 1º. Grande es tu melancolía.* [Fol. 27v]
POLIDORO. ¿Melancolía deçís,
vergantonaço? ¡Mentís!
SOLDADO 1º. Pues ¿qué es esto?
POLIDORO. Ypocondría, 1450
que vn prínçipe como yo
no avía de adoleçer
bulgarmente, ni tener
mal que tiene un sastre.*
SOLDADO 2º. No
te enojes de eso.
POLIDORO. Sí quiero, 1455
que estar triste solamente,
no es achaque conpetente
de vn prínçipe prisionero:
y más si se considera
la grande supercheria 1460
con que de noche y de día
me tratan.
SOLDADO 2º. ¿De qué manera?
POLIDORO. ¿De qué manera, picaño?
¿Qué prínçipe se prendiera,
donde vna ynfanta no ubiera 1465
que condolida a su daño
con músicas le avisara
desde el cubo del terrero,
y a pagar de su dinero
las guardas le sobornara, 1470
para que vna noche obscura,
en dos cauallos los dos,
por parque, a la paz de Dios [Fol. 28r]
se fuesen a su ventura?
SOLDADO 1º. Si estubiera por acá 1475
(así sauer algo trato)
la dama de aquel retrato,
quiçá ella...
POLIDORO. Claro está

que mirara por su honor;
y caso que allá estubiera 1480
preso vn ynfante, y no ubiera
tenídole mucho amor,
las desdichas acauadas
desta mi prisión cruel,
por no averse ydo con él, 1485
la matara yo a patadas,
según la adoro; y sospecho
que si donde estoy supiera,
estrafalaria viniera
por mí.

Soldado 2º. Lo medio está hecho, 1490
porque yo conpadeçido
aderço te traeré
de escriuir. *(Vase.*

Soldado 1º. Yo vn propio haré,
al punto que aya sauido
dónde se a de encaminar 1495
la carta.

Polidoro. ¿Qué dizes?

Soldado 1º. Digo
lo que por ti a haçer me obligo.

Polidoro. Mil abraços te he de dar [Fol. 28v]
mientras, aviendo avisado
y librádome mi dama, 1500
te hago el hombre de más fama.

Soldado 1º. No es aquése mi cuydado;
(que más que espero de ti,
de Otaviano espero, pues
con eso sabrá quién es 1505
dueño del retrato).

Soldado 2º. Aquí
ay ya de escriuir recado.

Polidoro. ¿Con su tinta y pluma?

Soldado 2º. En él
se diçe todo.

Polidoro. ¿Papel?

Soldado 2º. Tanbién.

Polidoro. ¿Vatido y dorado? 1510

SOLDADO 2º. No, pero el que vastará.
PLIDORO. ¿Poluos?
SOLDADO 2'. Poluos ay.
POLIDORO. ¿Oblea,
lacre y sello?
SOLDADO 2º. Sí.
POLIDORO. Pues ¡ea!
Llegadme el bufete... acá
*(Pónenle todo lo que a dicho, y lléganle bufete y silla.*
la silla.
SOLDADO 2º. Ya está llegada. 1515
POLIDORO. ¿Papel, tinta y pluma aquí
no ay? ¿Poluos y sello?
LOS DOS. Sí.
POLIDORO. Pues aun no tenemos nada. [Fol. 29r]
SOLDADO 1º. ¿Qué falta de preuenir?
POLIDORO. Lo mejor.
SOLDADO 2º. Sepa qué fué, 1520
volando por ello yré.
POLIDORO. El que yo no sé escriuir. *(Maltrátanle los dos.*
SOLDADO 1º. ¿Agora sale con eso
el tonto?...
SOLDADO 2º. ¿El loco?
SOLDADO 1º. ¿El menguado?
POLIDORO. ¿Quién vió prínçipe aporreado? 1525

*A la puerta el* CAPITÁN *y* TETRARCA *y los dos se bueluen a poner capa y sonbrero como que le siruen.*

CAPITÁN. Esta es la torre en que preso
Aristóbolo está: en ella
dejarte el César mandó.
SOLDADO 2º [*al* SOLDADO 1º]. Jente en la prisión entró.
SOLDADO 1º. No vean que le atropella 1530
nuestro enojo: que an mandado
con respeto le tratemos.
SOLDADO 2º. Que le seruimos mostremos.
CAPITÁN. ¿Cómo tu alteça a pasado
la noche?
POLIDORO. Mal, y peor 1535

la mañana; que a porraços
aquestos picaronaços
me an muerto. *(Da tras ellos.*

CAPITÁN. Tente, señor;
¿qué haçes?

POLIDORO. Reñir, viue Apolo,*
a manera de valiente 1540
al uso, que abla si ay jente,
y calla quando está solo.

CAPITÁN. Adbierte que a estar contigo [Fol. 29v]
viene el Tetrarca tu hermano.

POLIDORO. ¿El Te... qué?*

CAPITÁN. El Tetrarca.

POLIDORO [*aparte*]. En vano 1545
es ya escusarse el castigo
de aver tal engaño hecho.

CAPITÁN [*a* HERODES]. Llegad: vien podéis llegar
con Aristóbolo a ablar.

TETRARCA [*aparte*]. ¡Qué miro! Mas ya sospecho 1550
que ay algún secreto aquí,
pues con su nombre no ynoro
que esté preso Polidoro
para grande fin; y assí,
disimular me conviene. 1555
Dame, en mis últimos plaços,
Aristóbolo, los braços...

POLIDORO [*aparte*]. Borracho el Tetrarca viene:
¡Aristóbolo me llama!

TETRARCA. Ya que en mis penas el çielo 1560
no me deja otro consuelo
que ver mentida la fama
que de tu muerte corrió.

POLIDORO [*aparte*]. ¡Viue Dios, que ynsiste en ello!
¿Que fuera que sin savello, 1565
fuese Aristóbolo yo?

CAPITÁN [*a los* SOLDADOS]. Dejarlos solos es vien,
que ablen los dos, pues es llano
que a algún efeto Otaviano
quiso que juntos estén. 1570

*(Vanse el* CAPITÁN *y* SOLDADOS.

Tetrarca. ¿Estamos ya solos? [Fol. 30r]
Polidoro. Sí.
Tetrarca. ¿Qué es aquesto, Polidoro?
Polidoro. Un finjimiento que lloro.
Tetrarca. ¿De qué suerte?
Polidoro. Escucha.
Tetrarca. Di.
Polidoro. Que este vestido luçido* 1575
me dió mi amo, es lo primero;
que parece cauallero
vn pícaro vien vestido.
Lo segundo, con que el día
que el César triunfante entró, 1580
y a Antonio y Cleopatra alló
en su fatal vovería,
prisioneros nos yçieron,
y como yva galán yo,
con la caxa en que guardó 1585
cartas y joyas, creyeron
que era Aristóbolo él,
el engaño prosiguió;
con que me aristoboló,*
y yo le polidoré. 1590
Qué fué dél, no sé; que están
mis ansias con luz tan çiega,
sin ver si vienen ni van,
en vn callejón Noruega,*
aprendiendo a gavilán. 1595
Tetrarca. Ya que de aqueso ynformado
estoy, a un lado te aparta:*
que tengo que ablar conmigo.
Polidoro. Esa es la dicha más rara [Fol. 30v]
de vn buen ablador, toparse 1600
con quien no le diga nada,
y le oyga quanto él diga. *(Vase.*
Tetrarca. Ya que solo me veo, salgan
en lágrimas y suspiros,
sin estruendo de palabras, 1605
a los lauios y a los ojos
tan cautelosas mis ansias,

que saliendo della, aun no
las heche menos el alma.
¿Qué es esto, çielos, qué es esto 1610
(¡ay de mí!) que por mí pasa?
Que vien será menester
que vuestra autoridad valga
mi crédito, porque es tal
el tropel de mis desgraçias, 1615
que aun pasando a la esperiençia,
se me queda en la ygnorançia.
Dejo aparte que del sacro
laurel pierda la esperança;
dejo averme conbençido 1620
de mis disignios mis cartas;
dejo el castigo forçoso
de acçión tan desesperada
como que a morir matando
me despeñase mi saña; 1625
pues la desesperaçión,
disignios y anbiçión paran
sólo en pensar que ya tengo
el cuchillo a la garganta;
y voy a que otro dolor 1630
es tal, que el morir no vasta [Fol. 31r]
para acauar con él, puesto
que en mí el frase adelanta
de *a la garganta el cuchillo;*
pues dirá desde oy mi patria 1635
que, *el cuchillo al coraçón*,
murió su ynfeliz Tetrarca.
Al coraçón dije, y dije
vien: que él es a quien traspasa
ver en poder de Otaviano 1640
a Marïene retratada,
y en dos partes, como quien
dize que la luna clara
de vn espexo, si está entera,*
haçe un rostro, y si quebrada, 1645
dos; mostrando que en abusos
de superstiçiones varias,

el espexo que se quiebra
sienpre agüeros amenaça;
y es el mayor aver visto 1650
a Mariene con dos caras.
Vien discurro yo en que vna
hermosura soberana,
por soberana hermosura,
solamente la retratan 1655
sin más yntençión que el serlo,
o la exçelençia o la gala
del artífiçe; vien creo
que al verla, el no recatarla
de mí, es ygnorar quién sea; 1660
que ser mi esposa y mostrarla [Fol. 31v]
era cosa muy yndigna
para dicha cara a cara,
quando no por mí, por ella;
pero todo esto no salua 1665
el que no tenga ynterior
afecto (¡ay de mí!) de amarla
quien, no contento con vna*
en la mano, otra en la sala,
jura por ella el aver 1670
de tomar de mí vengança.
Y pasando a que el puñal* *(A marcha.*
en su pecho... mas ¿qué caxas
a marchar tocan? ¿Abrá
quien en esta triste estançia 1675
me diga qué marcha es ésta?

*Sale* Filipo.

Filipo. Sí.
Tetrarca. ¿Quién?
Filipo. Yo, a quien adelanta
su lealtad a ser, señor,
el criado que se manda
que solo te asista.
Tetrarca. ¡O quánto 1680
el ser tú quien me aconpaña,
estimo!

FILIPO. No es leal el que
no lo es hasta las aras;*
y así, aqueste vreue tiempo
que le queda a tu esperança 1685
de vida (pues se presume
que antes que de Ejipto salga
Otaviano, su rigor
en ti ejecute), mis canas, [Fol. 32r]
mi amor, mi fe, mi alma, y bida 1690
vienen a ver qué me encargas.

TETRARCA. ¿Tan breue y tan çierta es
mi muerte?

FILIPO. El que su jornada
apresure, lo adivina.

TETRARCA. ¿Cómo?

FILIPO. Como haçe la marcha 1695
a Jerusalén, por si ay,
muerto tú, nobedad.

TETRARCA. Calla,
Filipo, no me lo digas;
que tú eres el que me matas
antes que él.

FILIPO. ¿Yo, señor?

TETRARCA. Sí, 1700
pues tú el morir me adelantas.
¡A Jerusalén el César,
donde (¡los çielos me valgan!)
halle a Marïene viua,
quien la idolatró pintada! 1705
¡Él vitorioso, yo muerto,
y ella querida! ¿Qué aguarda
mi desesperado amor?

FILIPO. ¿Qué haçes?

TETRARCA. Quitarte la espada
para arrojarme sobre ella, 1710
que más valor y más causa
tengo yo que Antonio.

FILIPO. Mira...

TETRARCA. Sí haré, si me das palabra [Fol. 32v]
de haçer por mí vna fineça.

Filipo. No abrá cosa que no haga 1715
yo por ti.
Tetrarca. ¿Si es prodijiosa?
Filipo. Ningún prodijio me espanta.*
Tetrarca. ¿Si es terrible?
Filipo. ¡Que lo sea!
Tetrarca. ¿Cruel?
Filipo. ¿Qué ynporta?
Tetrarca. ¿Temeraria?
Filipo. Valor tengo para todo. 1720
Tetrarca. ¿Fiera?
Filipo. Nada me acobarda.
Tetrarca. ¿Y si es váruara?
Filipo. Tanpoco.
Tetrarca. Pues escucha. Pero aguarda,
que es tal la resoluçión,
que para representarla* 1725
a los teatros del mundo,
como, al fin, trájica farsa,
pues ay recado, quiero antes
con escriuirla ensayarla. *(Pónese a escriuir.*
Filipo [*aparte*]. ¿Qué será resoluçión 1730
que con prebençiones tantas
piensa? Apenas dos renglones
escriue y çierra la carta,
quando a mí buelue.
Tetrarca. Oye, agora.
Filipo. Sí haré con vida y con alma. [Fol. 33r]
Tetrarca. Si todas quantas desdichas, 1736
si todas quantas desgraçias
a ynbentado la fortuna,*
deydad de los hombres varia,
se perdieran, todas juntas 1740
oy en mí sólo se hallaran,
que soy epílogo y çifra*
de las miserias humanas.
Yo que ayer de Marïene*
esposo y galán, con raras 1745
muestras de amor coroné
de vitorias mi esperança;

oy lloro agravios, sospechas,
temores, desconfiançass
y... çelos yva a deçir;*　　　　1750
pero ymaginallos vasta.*
Yo que ayer de Palestina
gobernador y Tetrarca,
no cupe anbiçioso en quanto
el sol dora, y el mar vaña;　　　　1755
oy pobre, triste, y rendido,
entre dos fuertes murallas
aprisionándome el vuelo,
tengo avatidas las alas.
Yo que del laurel sagrado　　　　1760
ayer pretendí las ramas
sienpre verdes, a pesar
de los rayos que las guardan
oy, segur suya mi açero　　　　[Fol. 33v]
veo que sus ponpas tala,　　　　1765
solamente por llegar
enbotado a mi garganta.
¡Pluguiera al ado, pluguiera
al çielo, que aquí pararan
sus presajios, y que en mí　　　　1770
se desmintiera la yngrata
yndignaçión de vn destino!
Pues muriendo yo a la saña
del tenple ynfausto, pudiera
persuadir a la ygnorançia,　　　　1775
que ya de lo que más quise
ejecutó la amenaça.
Mas (¡ay triste! ¡ay ynfelize!)
que no soy yo a quien más ama
mi misma vida, sauiendo　　　　1780
que tanvién ella tirana
me aborreçe por ser mía;
y no con morir acauan
mis desdichas, que ynmortales,
más allá del morir pasan.　　　　1785
Otaviano... (al pronunçiarlo,
valor y aliento me faltan),

Otaviano adora (¿cómo
lo diré, sin que me añada
dolor a dolor?) adora 1790
a Marïene; pintada
dos veçes la vi, y dos veçes
a él gentil, pues ydolatra [Fol. 34r]
vna vez a vn sol sin luz,
y otra a vna deydad sin alma. 1795
¡Mal aya el hombre ynfeliz,
otra y mil veçes mal aya*
el hombre que con muger
hermosa en estremo casa!
Que no ha de tener la propia 1800
de nada opinión; pues basta
ser perfeta vn poco en todo,
pero con estremo en nada,
que es armiño la hermosura*
que sienpre a riesgo se guarda: 1805
si no se defiende, muere;
si se defiende, se mancha.
No pues mi anbiçión, Filipo,
no mi atreuida arrogançia,
no el ser parçial con Antonio, 1810
no mi poder, no mis armas,
me aflije, me desespera,*
me preçipita y me arrastra,
sino el ser de Marïene
esposo. ¡O caygan, o caygan 1815
sobre mí mares y montes!
Aunque si de ofensas tantas*
el peso no me derriba,
no me rinde, no me agraba,
el de los montes y mares 1820
no me agobiará la espalda.
Y así, viendo quánto a ynstantes [Fol. 34v]
mi vida qüenta la parca,*
y quánto a braço partido
en esta lóbrega estançia 1825
luchando estoy de mi muerte
con las sonbras y fantasmas,

viendo, en fin, que apenas oy
en vna pública plaça
seré horror de la fortuna, 1830
seré del amor vengança,
que él sea ¡ay ynfeliçe!
(pues a Jerusalén marcha,
donde es fuerça que la vea)
en tálamos de oro y grana, 1835
heredero de mis dichas,
dueño de mis esperanças;
muero de agravios y çelos,*
que matan, porque no matan.
Dirásme que ¿qué me ynporta, 1840
pues con la vida se acauan
las desdichas? ¡Ay Filipo,
quánto esa opinión engaña!
Que amor en el alma viue;
y si ella a otra vida pasa, 1845
no muere el amor, sin duda,
puesto que no muere el alma.
¿El no naçe de vna estrella,*
ya propiçia o ya contraria?
¿Pues cómo faltará amor, 1850
mientras la estrella no falta? [Fol. 35r]
¿Quieres ver quál es la mía?
Pues si pudiera apagarla
oy con el ýltimo aliento,
lo hiçiera, porque faltara 1855
del çielo, y otro ninguno
en su graçia o su desgraçia
no naçiera como yo,
porque como yo no amara.
Y en fin, ¿para qué discurre 1860
mi voz? ¿Para qué se cansa?
Otra pena, otro dolor,
otro tormento, otra ansia
en el coraçón no lleuo,
sino sólo ver que aguarda 1865
Marïene [a] ser enpleo
de otro amor, de otra esperança.

Sea baruaridad, sea*
locura, sea ynconstançia,
sea desesperaçión, 1870
sea frenesí, sea rabia,
sea yra, sea letargo,
o quanto después mis ansias
quisieren; que todo quiero
que sea, pues todo es nada, 1875
como no sean mis çelos;
y así, pues que la palabra
me as dado de obedeçerme,
haz lo que mi amor te encarga. [Fol. 35v]
Buelue a Jerusalén, buelue 1880
a la esfera soberana
del mejor sol de Judea;
y en diçiéndote la fama
que e muerto, en el mismo ynstante,
con mortal eclipse apaga 1885
a la tierra el mejor rayo,
al çielo la mejor llama,
al canpo la mejor flor,
la mejor estrella al alba.
Tolomeo, que quedó 1890
por capitán de mis guardas,
y sienpre a Mariene asiste,
sin poder seguirme, a causa
de quedar convaliçiente
de aquella erida pasada, 1895
dará la ocasión, a cuyo
fin, para él es esta carta:
dél te fía, pues no dudo,*
prebistas las çircunstançias
de vn veneno y de vn dogal, 1900
que él te guarde las espaldas.
Muera yo, y muera sauiendo
que Mariene soberana
muere conmigo, y que a vn tienpo
mi vida y la suya acauan; 1905
pero no sepa que yo
soy el que morir la manda: [Fol. 36r]
no me aborrezca el ynstante

que pida al çielo vengança.
No te acobarde lo orrible 1910
de vna historia tan estraña;
que quando mormuren vnos
que vbo quien dexó por manda
vn homiçidio, creyendo
que así sus penas engaña, 1915
que así sus quexas desmiente,
que así desdiçe sus ansias,
que así enmienda sus çelos,
otros abrá que la aplaudan:
pues no ay amante o marido* 1920
(salgan todos a esta causa)
que no quisiera ver antes
muerta, que ajena sv dama,

FILIPO. Vien quisiera responderte;*
mas no es posible, que vaja 1925
mucha jente a la prisión.

TETRARCA. Por si vienen por mí, salga
mi valor a reciuirlos.
Tú, cobrando la ventaxa
que puedas, parte, Filipo, 1930
al ynstante.

FILIPO. Señor...

TETRARCA. Calla,
que sé que tienes raçón; [Fol. 36v]
pero no puedo escucharla.

FILIPO. Ni yo deçirla, que llega
ya la jente.

TETRARCA. Esferas altas, 1935
çielo, sol, luna y estrellas,
nubes, graniços, y escarchas,
¿no ay vn rayo para vn triste?
Pues si agora no los gastas,
¿para quándo, para quándo 1940
son, Júpiter, tus venganças? *(Vanse.*

*Las cajas y salgan por vna parte* ARISTÓBOLO *y* SOLDADOS *y por otra* MARIENE *y* DAMAS.

ARISTÓBOLO. Dame otra vez los braços,

porque coronen tan ermosos laços
oy la esperança mía.

Mariene. Mi vida, ermano, a tu valor se fía: 1945
publiquen pues tus glorias,
que vitorias de amor son mis vitorias.

Aristóbolo. Ya que por la lealtad de Polidoro
(como te dije) con mi nombre preso,
de vn ynfeliz a otro ynfeliz suçeso, 1950
pude llegar donde tu luz adoro,
y donde a tu obediençia y tu decoro
atenta dignamente
nuestra naçión, de su alistada jente
jeneral me a nombrado, 1955
cunpliré la palabra que te e dado
de morir animoso,
o traerte libre a tu adorado esposo.

Mariene. ¡O, cúnplamela el çielo!
Y pues el canpo de cristal y yelo* [Fol. 37r]
de aquí a Ejipto es tan breve 1961
por ese pasadiço que de nieve*
o se encrespa o se eriça,
quando el copete de su frente riça:
presto la nueba espero 1965
de que mi amor desenpeñó tu haçero.

Aristóbolo. Si tu amor va conmigo,
fáçil enpresa, fáçil triunfo sigo. *(Caja.*

*Sale* Tolomeo.

Tolomeo. Ya el canpo cristalino
tanto pez de madera, ave de lino, 1970
admite en sus esferas,
que pareçen las ondas lisonjeras,
ocupando oriçontes,
una vaga república de montes.
Y pues noble no queda, 1975
que escusarse a tan alta facçión pueda,
que me des te suplico
lizencia...

Mariene. Antes de oyrlas, la replico,

Capitán de mis guardas te a dejado
mi esposo; su palaçio te a fiado. 1980
No es asistirme a mí menos vfana
facçión que esotra.

Aristóbolo. Dize vien mi ermana;
y pues el cargo que os quedéis abona,
mirad que me miréis por su persona. 1985

Tolomeo. Obedeçerte espero.

Mariene. Y yo veros partir a todos quiero,
porque os den para yros,
agua mis ojos, vientos mis suspiros. [Fol. 37ᵛ]

*(La caja. Vanse* Mariene, Aristóbolo *y* soldados.
[*Quedan* Tolomeo *y* Libia.]

Libia. Permita la ocasión a mi deseo 1990
el que de tu salud ¡o Tolomeo!
el parabién te dé; si vien pudiera
dármele a mí mejor de que no vbiera
Marïene admitido
la fineça de yr; que hubiera sido 1995
doblada la dolençia,
consolar vn dolor con vna ausençia.

Tolomeo. Agradezca, señora,
el favor toda vn alma que te adora;
y pues como a milagro 2000
suyo, mi vida a tu deydad consagro,
que el morir senti[rí]a,
no, Libia hermosa, no, porque moría,
sino porque sin verte,
pagaba con dos vidas vna muerte. 2005

Libia. Responderte quisiera;
mas la reyna, que ocupa la rivera,
me hechará menos, sólo te prevengo
que ya falseada para bernos tengo
del jardín esta llave. 2010

Tolomeo. Si ser amor ladrón de casa saue,
dame la llave agora,
y apenas desdoblar verás, señora,
la falda que ar[r]ugó la noche fría,
sobre la hermosa variedad del día, 2015
quando entre en el jardín, y sean sus flores

los testigos no más de tus fauores,
siendo sus ponpas vellas,
si flores para ti, para mí estrellas.*

LIBIA. Toma, y adbierte no entres (que quejosa [Fol. 38r]
de ti Syrene, y de mi amor çelosa 2021
anda) hasta... mas no puedo
proseguir; a Dios, pues.

TOLOMEO. Confuso quedo.
¡Oye, espera!

LIBIA. No faltes desta parte;
que yo, si puedo, bolueré a ynformarte. *(Vase.*

TOLOMEO. Aunque en la paz me quedo, 2026
temer más guerra en mis sentidos puedo
que tienen mar y tierra,
pues yncluyen más guerra
que tierra y mar, el ansia y el cuydado 2030
del que aquí aborreçido y allí amado,*
lidia con su deseo,
siendo Sirene, y Liuia...

*Dentro* FILIPO. Tolomeo.

TOLOMEO. ¡Çielos! ¿Llamáronme?

FILIPO. Sí.

TOLOMEO. ¿Quién?

*Sale* FILIPO *con vanda al rostro.*

FILIPO. Un hombre que a llegado 2035
en vn barco, que a bolado
desde el mar de Ejipto aquí,
y que sin ser conoçido
de otro (a cuyo fin, cubierto
el rostro, a tomado puerto 2040
en sitio más escondido),
a solas tiene que ablaros.*
¡Seguidme!

TOLOMEO. ¿No me diréis
quién sois?

FILIPO. Después lo sabréis. [Fol. 38v]

TOLOMEO [*aparte*]. ¿Quién vió suçesos más raros? 2045
Guiad, pues.

Filipo. Sí haré, que ninguno
me ha de ver ablar con vos.

*Éntranse y bueluen a salir por otra parte.*

Tolomeo. Ya estamos solos los dos,
y el sitio es tan oportuno,
que es apartado lugar. 2050
Filipo. Pues leed ese papel;
que en viendo lo que ay en él,
tenemos mucho que ablar.
Tolomeo. Cada punto, cada ynstante
añadís al coraçón 2055
otra nueba confusión.
Filipo. Aun más quedan adelante.
Leed, que más duda os espera
entre piadoso y cruel.
Tolomeo. Del Tetrarca es el papel, 2060
y diçe...
Filipo [*aparte*]. Desta manera,
descubriendo su yntençión,
lo que ay en él e de ver,
para ver qué deuo haçer.
Tolomeo. Notable es mi confusión. 2065
*(Lee)* «A mi serviçio conviene,
a mi honor y a mi respeto,
que muerto yo, con secreto
deis la muerte a Marïene.»
Honbre, que de asonbros lleno 2070
trais en carta tan suçinta*
del rejalgar de su tinta* [Fol. 39r]
confiçionado el veneno,
si conjuraçión a sido
la desta temeridad, 2075
y a examinar mi lealtad
de parte suya as venido,
no sólo en lo que contiene
mi honor conbendrá, mas piensa,
que e de morir en defensa 2080
de mi reyna Marïene.

Y pues traydor (¡viue Dios!)
eres (que no te encubrieras
el rostro si noble fueras)
y estamos solos los dos, 2085
te tengo de haçer pedaços
entre mis braços.

Filipo. No harás, *(Descúbrese.*
que yo no esperaba más
para darte mil abraços.

Tolomeo. ¡Filipo! (¡Qué es lo que veo!) 2090
¡Tú sospechoso! (¡Qué miro!)
Ya con más causa me admiro,
con más raçón no lo creo.

Filipo. El Tetrarca para ti
con esa carta me enbía; 2095
que de los dos sólo fía
la acçión que contiene en sí.
Muerto él, nos manda que muera
Marïene; pero ya
que de tu valor está 2100
vista la fe verdadera,
quédese el caso encubierto; [Fol. 39v]
que si él viue, estarlo es vien,
y si acaso muere, ¿quién
a de obedeçer a vn muerto? 2105

Tolomeo. Dizes vien; pero aunque es mucha
mi duda. Sepa ¿qué es esto?
¿Quién en tal furor le a puesto?

Filipo. Si quieres sauerlo, escucha.
Otaviano enamorado 2110
de vn retrato que...

Tolomeo. Detente,
que por aquí viene jente.*

Filipo. A los dos nos ha ynportado
que no me vean; y assí,
por desmentir la sospecha, 2115
quédate a haçer la desecha,*
y vente después tras mí;
que en ese monte te espero,
y mil prodijios sabrás. *(Vase.*

Tolomeo. ¿Qué tengo que saber más, 2120
si ya de lo que sé muero?
Mariene era; ya torçió
a los jardines el paso.
Y yo suspenso del caso
que me a suçedido, no 2125
sé de vna acçión tan cruel
quántas cosas antiçipo.
Buelua a seguir a Filipo,
boluiendo a leer el papel.

74006

*Sale* Sirene.

Sirene. Dezidme si por aquí 2130
a pasado Marïene; [Fol. 40r]
que en su seguimiento... pero
si hubiera visto quién eres,
ni aun esto te preguntara,
por no ablarte, por no verte. 2135
Tolomeo. Espera, Sirene, aguarda.
Sirene. ¿Para qué, tirano, aleve,
yngrato, falso, ynconstante?
Tolomeo. Para que sepas, Sirene,
que los hombres como yo, 2140
con prinçipales mugeres
vien pueden no ser amantes,
pero no, no ser corteses.
Yo por soldado no tube
ynclinaçión...
Sirene. Çese, çese 2145
tu voz, que aun satisfaçiones
de ti no quiero.
Libia [*al paño*]. ¡Valedme,
çielos! ¿Qué escucho? Mas ¿cómo
lo dudo? Pues claramente
dize que la satisfaçe 2150
la que dize que no quiere
oyr satisfaçiones.
Tolomeo. Ya
que aquesta ocasión ofreçe

el acaso de encontrarme,
por mí mismo as de oyrme: atiende. 2155

Sirene. No haré tal, que cortesana
yo tanvién, no quiero azerte
el pesar de que no leas
el papel que te divierte [Fol. 40v]
tan a solas; y así es vien 2160
(porque él sea el que me vengue,
mostrando quán poco, o nada
mis vanidades lo sienten)
que pues leyéndole te allo,
que leyéndole te deje. 2165

*(Vase.*

Libia [*aparte*]. ¿Qué papel, çielos, será,
el que la venga y la ofende?

Tolomeo. Hazes vien, pues aunque buelua
a leerle vna y muchas veçes,
vna, y muchas voluerè 2170
a dudar lo que contiene.

Libia [*aparte*]. Mi sufrimiento, ¿qué aguarda?

*Lee* Tolomeo. «A mi serviçio conviene...»

[*Sale* Libia.]

Libia. Suelta, yngrato.

Tolomeo. ¿Qué es aquesto?

Libia. Sauer qué papel es esse. 2175

Tolomeo. Pues no lo as de sauer, Liuia.

Libia. ¿Cómo no?

Tolomeo. Si es que mereçe
algo contigo mi amor,
si me estimas, si me quieres,
déuate yo la fineça 2180
de no berle.

Libia. ¿Qué es no verle?
Si lo que a deçirte bengo
es que en el jardín no entres,
de cuya puerta la llave
mi amor te entregó ynprudente, 2185
hasta que vna seña mía

te asegure de Sirene, [Fol. 41r]
porque quejosa de ti,
y de mí çelosa, suele
estar en él a desoras. 2190
¿Cómo, di, yngrato, pretendes,
hallándote con la misma
de quien recatarte deves,
dándola satisfaçiones,
y diziendo ella que aqueste 2195
papel la venga de ti,
que sin mirarle le deje?

Tolomeo. Aunque tienes raçón, Libia,
¡viue Dios! que no la tienes.
El papel ni a ella ni a ti 2200
toca, y en fin no as de verle.

Libia E de verle.

Tolomeo. Mira...

Libia. ¡Aparta!

Tolomeo. Considera...

Libia. ¡Quita!

Tolomeo. Adbierte,
no desatento...

Libia. ¿Tú?

Tolomeo. Sí.*

Libia. ¿De qué suerte? 2205

Tolomeo. Desta suerte.

Libia. ¿Tú conmigo tan grosero?

Tolomeo. ¿Tú conmigo tan aleue?

Los dos Suelta el papel.

*Por entre los dos el papel y sale* Mariene.

Mariene. ¿Qué papel?

Tolomeo [*aparte*]. ¡Graue mal!

Libia. ¡Desdicha fuerte! [Fol. 41v]

Tolomeo. ¿Qué pudiste enjendrar, Liuia, 2210
sino áspides, y serpientes?*

Libia. ¿Qué más áspides que çelos?

Mariene. Pues ¿qué atreuimiento es éste?*
¿Así mi esplendor se agravia?

¿Así mi sonbra se ofende? 2215
¿Mi decoro se abentura,
y mi respeto se pierde?
¿En mi casa, y a mis ojos,
v[uest]ras acçiones se atreven
a profanar vn palaçio, 2220
tenplo de honor tal, que a verle
el sol no entrara, a no entrar
con disculpa de que viene
a darle la luz; que el sol
aun no entrara de otra suerte? 2225
Dame tú esa parte, tú
esotra: dellas conviene
ynformar a mi recato.

Tolomeo. Que es vna vívora aduierte,*
que diuidida en mitades, 2230
con qualquiera estremo muerde.

Mariene. Vete tú, Liuia, de aquí.

Libia [*aparte*]. Piedad es el que me ausente,
por no verla tan ayrada. (*Vase.*

Mariene. Tú tanvién, ¿qué aguardas? Vete. 2235

Tolomeo. Si por ventura an podido
mis serviçios mereçerte
sola vna merçed que sea [Fol. 42r]
capaz de muchas merçedes,
deja ese papel, y no, 2240
señora, le leas, atiende
que quanto por verle aora,
darás después por no verle.

Mariene. ¿Qué deseo de muger
se rindió al ynconbeniente? 2245

Tolomeo. El que adbertido de mí,
sepa que, a fin diferente
de que llegase a tus manos,
está ynfiçionado ese
papel de vn mortal veneno, 2250
tan riguroso y tan fuerte,
que matará a quien le mire,
que es la causa porque leerle
a Liuia le defendía,

viendo que entre estos laureles 2255
era ella quien le auía allado,
no siendo ella a quien preuiene
matar mi fe en tu serviçio;
que ay en él algún aleve,
con quien se escrive Otaviano. 2260
Y así, que de ti le heches,
con lágrimas a tus pies,
te suplico humildemente.

Mariene. Quien adbierte de vn peligro
nunca suplicando adbierte, 2265
porque el venefiçio manda, [Fol. 42v]
y no ruega: luego mientes;
que si estos estremos haçes
quando me acuerdas los vienes,
¿qué dejas que haçer, qué dejas 2270
quando los males acuerdes?
Letra del Tetrarca es,
con que ya se desbaneçe
el que fuese tuyo, y yo,
que viva o muera, e de leerle. 2275

Tolomeo. ¡Ay ynfeliçe de ti!

Mariene. Dize a partes desta suerte:
*Muerte* es la primer raçón
que e topado: *onor* contiene
ésta. *Marïene* aquí 2280
se escrive. ¡Çielos, valedme!
Que diçen mucho en tres voçes
«Marïene, onor, y muerte.»
*Secreto* aquí, aquí *respeto*,
*serviçio* aquí, aquí *conviene*, 2285
y aquí *muerto yo*, prosigue.
Mas ¿qué dudo? Si me adbierten
los dobleçes del papel
adonde están los dobleçes,
llamándose vnos a otros. 2290
Sé, o prado, lamina verde,
en que ajustándolos lea:
«a mi serviçio conviene,
a mi onor, y a mi respeto,

que muerto yo (¡ados crueles!) 2295
deis... (¡con qué temor respiro!) [Fol. 43r]
deis la muerte a Marïene.»
Vien dijiste que era fiero
tósigo y veneno fuerte,
puesto que, si no me mata, 2300
por lo menos, lo pretende.
¿Quién este papel te dió?

TOLOMEO. Filipo, que con él viene
de Ejipto. Pero señora,
estar satisfecha puedes 2305
de su lealtad y la mía,
pues los dos...

MARIENE. Otra vez mientes,
que él ni tú no sois leales,
pues cobardes, pues aleves,
o biva o muera, no soys 2310
como devéis, obedientes
al preçepto de mi esposo.
¿Quién más es cónpliçe en este
secreto?

TOLOMEO. Nadie, señora.

MARIENE. Pues mira lo que te adbierte 2315
mi voz, que ninguno sepa,
ni aun Filipo, que a entenderle
llegué yo.

TOLOMEO. Un mármol seré. *(Vase.*

MARIENE. ¡O ynfelize vna y mil veçes
la que se ve aborreçida 2320
de la cosa que más quiere!
¿En qué, amado esposo mío, [Fol. 43v]
en qué mi vida te ofende,
que te pesa de que viua
la que de adorarte muere? 2325
Quando yo tu libertad
trato, y a ynperios de nieve
doy, Semíramis de ondas,*
Vavilonias de bajeles;
quando en mi ymajinaçión, 2330

después que viues ausente,
adorando estoy tu sonbra,
y a mis ojos aparente,
por burlar mi fantasía,
abraçé al ayre mil veçes; 2335
¿tú en vna obscura prisión,
funesto mísero albergue,
en vez de abraçar mi ymajen,
estás traçando mi muerte?
O te quiero o no. Si no* 2340
te quiero, ¿no es más deçente
a vn noble que, de muger
que le olvida no se acuerde?
Y si te quiero, ¿por qué,
después de muerto, pretendes 2345
que muera? ¿No sabré yo,
sin mandarlo, obedeçerte?
Luego olvidando (¡ay de mí!)
o queriendo, de vna suerte
ofendes tu vanidad, 2350
o mi gratitud ofendes.
Si del mundo el mayor monstruo* [Fol. 44r]
me está amenaçando en ese
enquadernado volumen,*
mentira azul de las jentes, 2355
y tú me matas, será
vien deçirse de ti que eres
el mayor monstruo del mundo.
Mas ¡ay! que en llegando a este
término, no sé qué nuevo 2360
espíritu me enfureçe;
y pues me tocan al arma
afectos tan diferentes
de los míos, ¡plegue al çielo,
fementido esposo aleve, 2365
que el socorro que te envío,
nunca a tomar puerto llegue!
Entre las Sirtes, y Esçilas*
de Ejipto a pique le echen
los çoçobrados enbates, 2370

los contrastados vayvenes
de las ráfagas de Eolo,*
o los sepulcros de Tetis.*
No sólo en tu libertad
milite, pero de suerte 2375
yr[r]ite a Otaviano, que
apresurando tú... ¡Tente,
lengua! no su muerte digas;
basta que él diga mi muerte;
que vna cosa es ser quien soy,* 2380
y otra ofenderme él. ¡O plegue [Fol. 44v]
al çielo que vitoriosa
tan en su favor navegue
la armada de tu socorro,
que sobre el puerto de Menfis* 2385
en tan grande estrecho pongas
la confusión de sus jentes,
que temerosas de que
las mías sus muros entren
a sangre y fuego, a partido 2390
reduçidas, me le entreguen
viuo, para que a mis braços...
Pero ¿qué digo? Suspende,
lengua, otra vez el açento,
si no es que deçir yntentes: 2395
«a mis braços, para que
vengatiba, y ynpaçiente
en ellos le haga pedaços.»
¡Ay de mí! ¡Qué fácilmente
de vn estremo a otro se pasan 2400
en afetos de mugeres
las lástimas a ser yras,
y los favores desdenes!
De mugeres dixe; pero
dije mal, que escluirse deven 2405
las mugeres como yo
de lo común de las leyes.
Y pues piadosas en vna
parte, y en otra crueles
mis ansias lidian, en tanto 2410

tropel como me acomete [Fol. 45r]
de divididos afectos,
de encontrados pareçeres
y opuestas obligaçiones;
¡déme el çielo yndustria, déme 2415
medio el ado, para que
tan vnas con otras tenple,
que como esposa ofendida,
y como reyna prudente,*
cunpla con el mundo, y cunpla 2420
conmigo, quando a ver lleguen
çielo, sol, luna, y estrellas,
astros y signos çelestes,
montes, mares, troncos, plantas,
hombres, fieras, aves, pezes, 2425
que como reyna perdone,
y como muger me vengue!

*Fin de la Seg[und]a Jornada.*

# El Mayor Monstruo los Çelos

## Terçera Jornada

## [*Jerusalén*]

*Suenan ynstrumentos músicos en vna parte y en abiendo representado y cantado sus versos, suenan en otra cajas destempladas y diçe dentro* Mariene *los suyos. Y luego en medio suenan algunos tiros y chirimías y salen al tablado* Otabiano, capitán *y* soldados.

Voces. ¡Viva Otabiano!
Música. ¡*Viva*!
Voces. Y en los campos de Oriente...
Música. *Y en los campos de Oriente...* 2430
Voces. Çiñan su augusta frente...*
Música. *Çiñan su augusta frente...*
Voces. Sacro el Laurel, pacífica la Oliba. *(La caja.*
Mariene. La aclamaçión festiba
conbertida en lamento 2435
de mísero conçento,
diga de otra manera
que muera yo donde mi esposo muera.
*Dentro* otros. A tierra, a tierra. *(La salba.*
Capitán. Marche, [Fol. 46v]
erido el bronçe, y castigado el parche, 2440
a la ciudad en orden nuestra jente.

*La salba y salen* Otabiano, capitán *y* soldados.

Otabiano. Salbe, o tú, gran Metrópoli de Oriente,
Jerusalén diuina,
salbe, o tú, Emperatriz de Palestina
y del Asia señora, 2445
que en el rosado ymperio del Aurora,*

con luçiente voz muda
el sol en su primera hedad saluda.
Salbe otra vez, y admite
tu Çésar, cuyo nombre, que compite 2450
al tiempo y al olvido,
dos veçes al laurel restituydo,
pisa tu arena: vna
a fabor del valor y la fortuna;
y otra, por más blasones, 2455
a pesar de traydoras sediçiones;
pues quando presumías
que del romano yugo sacudías
la çerviz, con aver oy embiado
a Aristóbolo, en tanto leño alado 2460
a librar tu Tetrarca,
yo como en fin caudillo de la parca,*
aviéndole encontrado en el camino,
y a fuerça del destino*
dejádole su armada 2465
en las costas de Jafa derrotada,*
llego a ti, donde yntento [Fol. 47r]
que el primer escarmiento
que tu muralla vea,
de tu Tetrarca la cabeça sea; 2470
a cuyo fin, por más ynfeliz suerte,
su vida dilaté, porque su muerte
le dé terror más fiero,
y más al filo deste ynfausto açero,
*(Tray çeñido el puñal.*
desagraviando de camino aquélla 2475
que profanó, difunta veldad vella.
De ese pues vajel donde
más le sepulta el buque que le esconde,
a tierra le sacad, con el criado,*
que también, por averme a mí engañado, 2480
*(Vanse los* SOLDADOS. *La música y las cajas.*
a de morir. Mas ¿qué confuso ruydo
de músicas en vna
parte se escucha quando en otra alguna
sedición cajas toca destempladas?*

Repitiendo encontradas, 2485
allí con voz altiba...

MÚSICA *y* VOCES. ¡Viva Otabiano, viva!

OTABIANO. Y allí con voz severa...

MARIENE. Y muera yo donde mi esposo muera.

CAPITÁN. De la ciudad aviertas 2490
a tu salva, señor, miro dos puertas
que de aquí se divisan,
y varias de vn estremo en otro avisan;
que por vna de hombres el festibo
bulgo, aclamando tu renombre altibo, [Fol. 47v]
a recibirte sale: 2496
y porque el llanto al regoçijo yguale,
por otra, negros lutos arrastrando,
y haçiendo las mujeres otro bando,
salen también, diçiendo 2500
en ambos coros uno y otro estruendo...*

*(Música.*

TODOS *y* MÚSICA ¡*Viva Otaviano, viva*!
*Y en los campos de Oriente*
*çiñan su augusta frente*
*sacro el Laurel, paçífica la Oliba*! *(Cajas.*

MARIENE. La aclamaçión festiba, 2506
combertida en lamento
de mísero conçento,
diga de otra manera:
*que muera yo donde mi esposo muera.* 2510

*Con esta repetiçión salen al tablado por vna parte, los* MÚSICOS, *y* TOLOMEO *con vna fuente, y en ella vnas llabes, y* FILIPO *con otra, y en ella vn laurel; y por la otra parte* MARIENE, *vestida de luto, con vn velo en el rostro, y las* MUJERES *que puedan.*

TOLOMEO. Pues más defensas la ciudad no tiene*
que ofreçerse rendida, haçer combiene
virtud la fuerça.

FILIPO. Llega
como su capitán, y haz tú la entrega.

TOLOMEO. En paravién, señor, de glorias tantas, 2515

la gran Jerusalén, puesta a tus plantas
sus llaves rinde. [Fol. 48r]

FILIPO. Y su laurel, y oliba.

LOS DOS. Diçiendo a voçes...

TODOS. ¡Otabiano viva!

MARIENE. A tus pies ynfeliçe
llega también quien aflijida diçe, 2520
vien que en cláusula menos lisonjera,
*que muera yo donde mi esposo muera.*

OTABIANO [*a los hombres*]. En estremos tan raros,
que agradeçeros tengo y estimaros
a vosotros; [*a* MARIENE] mas no que agradeçeros
ni estimaros a vos, llegando a veros 2526
con señas tan funestas
de mis aplausos perturbar las fiestas.
[A *los* SOLDADOS] Marche el campo.

*(Bolviéndola las espaldas y ella le detiene.*

MARIENE. Primero
me as de escuchar.

OTABIANO. Si enterneçer no espero 2530
mis yras, ¿para qué con ellas luchas?

MARIENE. ¿Para qué tú gobiernas si no escuchas?*

OTABIANO. Diçes vien, oyrte debo; mas no ygnoro
que tanpoco es respeto ni decoro
que tapada escucharte aya, sin verte. 2535

MARIENE. También tú diçes vien: aora advierte.

*(Descúbrese.*

OTABIANO [*aparte*]. ¡Çielos! ¿Qué es lo que veo?
¿De quándo acá qüerpo cobró el deseo?

MARIENE [*aparte*]. ¡Çielos! ¡De qué me admiro!
Que todo el alma al coraçón retiro 2540
al verle, en su presençia descubierta.

OTABIANO [*aparte*]. ¿No es ésta la veldad que adoré muerta?
[Fol. 48v]

MARIENE [*aparte*]. Muda y suspensa quedo.

OTABIANO [*aparte*]. Al mirarla, ni creer ni dudar puedo.

TOLOMEO [*aparte*]. ¿Qué estremo es éste? ¡Ay ynfeliz! Sin duda
viene a que el César a vengarla acuda 2546
de aquel rigor. ¿No basta, pena mía,
presa a Libia tener desde aquel día,

sino querer agora
descubrir el secreto?
FILIPO [*aparte*]. Pues ygnora 2550
a qué fué mi venida.
¿Qué ay que temer? Segura está mi vida.
MARIENE [*aparte*]. Mal cobarde me aliento.
OTABIANO [*aparte*]. Mal osado me animo.
MARIENE [*aparte*]. Mas ¿por qué me reprimo? 2555
OTABIANO. [*aparte*]. Pero ¿por qué lo que e de estimar siento?
Mujer, ¿qué quieres?
MARIENE. Que me estés atento.
OTABIANO. ¿Qué aguardas, pues?
MARIENE. Escucha.
(Mucha es mi turbaçión)
OTABIANO. Mi pena es mucha,
(pues la muerta çeniça es viva llama). 2560
MARIENE. Ynclito Çésar, cuya heroyca fama...
SOLDADO 1º. Con el criado aquí el Tetrarca viene.

*Salen los* SOLDADOS *y el* TETRARCA *y* POLIDORO *presos.* [Fol. 49r]

TETRARCA [*aparte*]. ¡Qué miro! ¿Con el Çésar Marïene?
¿Pues no bastaba, ¡çielos!*
yr a morir, sino a morir de çelos? 2565
POLIDORO [*aparte*]. ¿Qué son çelos? ¡Al dios baco pluguiera
que çelos para mí también hubiera,
y no hubiera vn garrote
que anda desde la nuez hasta el cogote,
ya haçiéndome cosquillas!
OTABIANO. Su castigo 2570
diré despućs. Prosigue.
MARIENE. Ya prosigo.
Ýnclito Çésar, cuya heroyca fama
al alcáçar se eleba de la luna,
quando con labios de metal te aclama
su Júpiter, y dios de la fortuna: 2575
si quando él a relámpagos se ynflama,
el yris le serena, en mi ynportuna
suerte, que eres mi Júpiter se vea,
y el yris de mi paz tu laurel sea.

Y pues tu nombre en láminas se escribe, 2580
que el tiempo que más buela, que más corre,
ni con las torpes alas le derribe,
ni con las plantas trájicas le borre;
vive piadoso, generoso vive,
y del sol coronada la alta torre 2585
que al águila de Roma le dió nido,
verás triunfar del tiempo y del olvido.
Yo soy la desdichada Marïene... [Fol. 49v]
dijera vien la desdichada esposa
de ése contra quien ya tu ceño tiene 2590
blandida la cuchilla rigurosa.
Si vna línea de púrpura detiene*
del más noble animal la más furiosa
acçión, deten tú el paso a tus enojos,
pues son líneas de púrpura mis ojos. 2595
Mas ¡ay! que en vano a tus piedades pido
la vida que as de darme generoso;
que eres rey, y as de ser compadeçido;*
que eres valiente, y as de ser piadoso;
que eres discreto, serás reduçido; 2600
que eres tú, y as de ser tan vitorioso
que conozcas que alcança menos gloria
el que con sangre mancha la vitoria.
No pues el que te espera heroyco asiento*
en cadalso construyas duro y fuerte, 2605
no el triunfal carro en brebe monumento,
no el fausto en çeremonias de la muerte,
no la música en mísero lamento,
no la feliçidad en triste suerte,
la gala en luto, en pena la alegría. 2610
No eches a mal tan venturoso día.
Entra triunfando, pero no vençiendo;
entra vençiendo, pero no vengando;
que más aplauso as de ganar, entiendo, [Fol. 50r]
perdonando, señor, que castigando. 2615
Halle piedad la que lloró pidiendo,
halle piedad la que pidió llorando;
y pues son dos, siquiera vna reçiba,
o que yo muera, o que mi esposo viva.

Tetrarca. [*aparte*]. ¿Quién de dos muertes sitiada 2620
vió su vida tan a vn tiempo,
que negada o conçedida,
de qualquiera suerte muero?
Polidoro [*aparte*]. ¡Ay tal ynfamia! ¡Que llore
por su marido, pudiendo 2625
llorar por mí, que a estas oras
más de sentençiado tengo
la cara que él!
Otabiano [*aparte*]. Vien se deja
ver que Aristóbolo al trueco
del criado, quando estaba 2630
yo en el retrato suspenso,
fingiendo ser muerta, quiso
desbaneçer mis afectos.
Por ella, por mí, y por él
ynporta que satisfecho 2635
viva, pues a de vivir.
¿Adónde hallará el ynjenio
disculpas para vn marido,
que es plática de tal riesgo,
que aun satisfaçiendo agravia? 2640
Mas no hablando con él, puedo [Fol. 50v]
darle a él las satisfaçiones.
[*A* Mariene]. Alçad, señora, del suelo.
Vna vida me pedía,
y aunque es verdad que lo siento, 2645
enmiende el pesar de oýros
el gusto de obedeçeros.
Mas no me lo agradezcáis;
que si vna vida os ofrezco,
es porque os debo vna vida, 2650
sin saber a quién la debo.
Vuestro hermano, entre otras joyas,
perdió este retrato vuestro,
y sin saber cúyo fuese
(de que hago testigo al çielo, 2655
y a quantos dioses adoro)
sólo por ser tan perfecto,
mandé a vn pintor, que me hiçiese

dél vna ymajen de Venus.*
Esta pues constituyda 2660
ya vna vez en deydad, viendo
vn peligro en que me hallaba
(deçir quál fuese no quiero,
porque olvidaré el perdón
si del peligro me aqüerdo), 2665
dél me libró; de manera
que aunque Venus fuese el dueño
del acaso, fuysteis vos [Fol. 51r]
del acaso el ynstrumento.
Y así, en términos pagando 2670
el averos ynterpuesto
entre otro azero y mi vida,
e de haçer con vos lo mesmo,
el día que os ynterponéis
entre otra vida y mi açero. 2675
Viva vuestro esposo, y no
solamente viva, pero
a su onor restituydo;
y por no poner a riesgo
vuestros ojos de que lloren 2680
otra vez, ni oýros, ni veros
en mi vida (la voz miente,
no el alma) perdón conçedo
a Aristóbolo, y a quantos
en este lebantamiento 2685
cómpliçes fueron; y en fin,
porque ni al llanto ni al ruego
les quede por haçer nada,
aun vuestro retrato os buelbo.
Tomad, pues.

MARIENE. ¡Vivas los siglos 2690
del fénix!*

TETRARCA. Y tan eternos
como deseará esta vida,
que ya como tuya ofrezco, [Fol. 51v]
porque el ser dádiva tuya
la crezca el mereçimiento 2695
a la que ejemplo de amor,

como de piedad ejemplo
la sacrifico.

Mariene. ¡Feliçe,
dulçe esposo, amado dueño,
el día que buelbo a verte 2700
en mis braços! Quien en ellos...
[*aparte*] mas no, que el de mi decoro,
no es el de mi sentimiento.

Tetrarca [*aparte*]. ¡Qué dichosos desengaños!
Aver sauido, el primero, 2705
los acasos del retrato,
y el segundo que encubierto
(supuesto que a Marïene
tantas lágrimas la debo)
halle el furor que fié 2710
de Filipo y Tolomeo.

Tolomeo [*aparte*]. Ya no tengo que temer.
Pues anda tan fina, es çierto
que tener quiere su agrabio
en la carçel del silençio. 2715
¡Luego dirán que no ay
mujer que guarde secreto!
Así me suçedan vien
los medios que dejo puestos [Fol. 52r]
en la libertad de Libia, 2720
de que avisada la tengo
con Astolfo que a ofreçido*
dejarme oy el paso avierto.

Otabiano [*aparte*]. No sé qué tienen acçiones
nobles en heroycos pechos, 2725
que aunque se sienta el haçerlos
se estima el averlos hecho;
pero esto no es para aquí.
Mi tienda armad; que no quiero
entrar en Jerusalén 2730
hasta que el reçibimiento
de ymperial triunfo aperçiba.
[*aparte*] Hermoso prodigio vello,
¿qué me sirbe averte hallado,
si quando te hallo te pierdo? 2735

Mariene. Hasta dejarle en su tienda,
vamos todos.
Tetrarca. Sea diçiendo:
¡viba Otaviano!
Todos y música. ¡*Viva*!
*y en los campos de Oriente*
*çiñan su augusta frente* 2740
*sacro el laurel, paçífica la oliba.*
*¡Viba, Otabiano, viba!*
*(Vanse.* [*Se quedan los* soldados *y* Polidoro.]
Soldado 1º. ¿Por qué vos, pues perdonado [Fol. 52v]
estáis, en su seguimiento
no vais dándole con todos 2745
las gracias?
Polidoro. Porque no quiero;
que tan gran supercheria
como conmigo se a hecho,
no se hiçiera, ¡vive Apolo!
no digo yo con vn negro,* 2750
pero ni con vn enano,
que es tan muchísimo menos,
quanto va desde ser hombre
a sólo empeçar a serlo.
Soldado 1º ¿Qué supercheria?
Polidoro. ¿No fuisteis 2755
vos quien me dijo, viniendo,
que a ser aorcado venía?
Soldado 1º Yo lo dije.
Polidoro. Pues ¿qué es dello?
¿Es bueno haçerme caer
en falta con todo vn pueblo, 2760
que estaba ya combidado
al plato de mi pesqüeço?
¿A mí perdonarme, acaso
es juego de niños esto?
—¡Venga usted a ser aorcado! 2765
—Vaya usted, que ya está absuelto!— [Fol. 53r]
¿Qué a de deçirse de mí,
sino que soy vn grosero,
y que para aorcado no

balgo quatro quartos viendo 2770
que se los vale qualquiera
ladronçillo çicatero.
La costa que tenía hecha,
de más de veinte mil jestos,
para escojer los que avía 2775
de yr por el camino haçiendo,
¿qué e de haçer de ella? Y después
¿qué e de haçer, sin el consuelo
de ser como vn pino de oro,*
en el plañido lamento 2780
de todas las verduleras
qualquier aorcado? ¿Está el tiempo
para no ser pino de oro,
siquiera por vn momento?
Dejaré de mí la fama 2785
de vn garrotillo muriendo,
que dejaré de morir
de vn garrote todo entero.
Pues luego ¡es bobo el delito,
sino oýr al pregonero:* 2790
«¡ Esta es la justiçia, a este hombre
por príncipe contrahecho!» [Fol. 53v]

LOS DOS. Vamos de aquí; que está loco.

POLIDORO. An de aorcarme o sobre eso
para dar satisfaçión 2795
oy a todo el universo
de que no queda por mí,
a voçes yré diçiendo:
«¡ Esta es la justiçia, a este hombre,
por prínçipe contrahecho!» *(Vanse.* 2800

*Salen con acompañamiento el* TETRARCA *y* MARIENE.

TETRARCA. Desde que en su tienda el César
dejamos, pálido el rostro,
torçiendo las blancas manos,
y humedeçiendo los ojos,
a la sala emos llegado 2805
que divide un quarto de otro,

y no queriendo parar
en el más prinçipal, noto
no sin cuydado, que guías
a lo más oscuro y más ondo* 2810
del palaçio; esto sin verme
ni hablarme, mi çielo hermoso,
dulçe esposa, amado dueño,
mira que es rigor ynproprio
dar la vida con finezas 2815
y quitarla con enojos. [Fol. 54r]

MARIENE. ¿Está el quarto como dije?
SIRENE. Sí, señora.
MARIENE. ¿Está del modo
que mandé de aquella quadra,
que oy es triste calaboço 2820
de Libia, ya asegurada
la puerta que buelbe a esotro
del Tetrarca?
SIRENE. Sí estará,
pues se lo encargaste a Astolfo
que la çierre y la asegure. 2825
MARIENE. Salíos allá fuera todos. *(Vanse.*
Tú, en entrando yo, esa puerta
çierra en el ynstante propio.
SIRENE. De mí fía. *(Vase.*
TETRARCA. ¿Qué misterios
son éstos?
MARIENE. ¿Estamos solos? 2830
TETRARCA. Sí, ¿qué miras?
MARIENE. El puñal,
que del reloj presuroso
de mi vida fué el bolante.
TETRARCA. En peligro vien notorio
le perdí.
MARIENE. ¿No está contigo? 2835
TETRARCA. No.
MARIENE. Pues oye aora. [Fol. 54v]
TETRARCA. Ya oygo.
MARIENE. Vien pensarás, o finjido
amante, o tirano esposo,

alebe, cruel, sangriento,
bárbaro, atrevido, y loco, 2840
vien pensarás que el pedir
a aquel monarca famoso,
a aquel valiente romano,
a aquel capitán heroyco,
tu vida comprada a preçio 2845
de jemidos, y solloços,
a sido piedad y amor
de mi pecho jeneroso;
pues no a sido piedad,
ni amor; afecto rabioso 2850
y vengança sí, porque
no ay otro estilo, no ay otro
camino de castigar
un yngrato pecho, como
correrle con venefiçios, 2855
quando ofende con enojos;
que merçed hecha a vn tirano,
más que merçed es oprobio.
Y no me diera vengança
verte morir quando noto 2860
que es la muerte en las desdichas [Fol. 55r]
el postrer último coto.
Verte vivir, sí, ofendido,
aborreçido, y quejoso,
por creer que hallar no pude 2865
castigo más riguroso
para vn yngrato que verse
olvidado de lo propio
que se vió amado: el que llega
a esto, ¿cómo vive, cómo? 2870
Demás de que, por mí misma,
por mi onor, por mi decoro,
pedí tu vida, encubriendo
la causa de mis ahogos,
que saben todos quién soy, 2875
y quién eres vno solo;
y no por ganar con vno,
avía de perder con todos.

Tu vida en fin pedí, no
porque, vivas, ni tanpoco 2880
porque mueras consolado,
de que dejaste aleboso
quien me diese muerte, pero
porque sepas que no ygnoro
que as vivido en esta ausençia 2885
de mi muerte deseoso [Fol. 55v]
Este papel, esta firma
te combençan. ¡Con qué asombro
le miras, quedando al verle
confuso, elado y absorto! 2890
En mi mano está: no tienes
que discurrir estudioso
cómo a ella vino, que al fin
la tierra, viendo el adorno
y la hermosura que debe 2895
a ese cristalino globo,*
que parte la luna a jiros,
que el sol ylumina a tornos,
le prometió no tenerle
nada oculto en su contorno, 2900
que aun los çielos, con ser çielos,
dan los fabores a logro.
¿Tú eres (¡aquí de mi aliento!)
tú (¡desmayo al primer soplo,
con mis lágrimas me anego, 2905
con mis suspiros me ahogo!)
de Jerusalén Tetrarca?
Mas ¡ay! que no es grande abono
del mérito el conseguir
puestos, que vien reconozco 2910
que es el puesto el desdichado [Fol. 56r]
quando el hombre es el dichoso;
tú lo digas, pues que siendo
bastarda rama del tronco
de Judá, vn ascalonita,* 2915
en cuyo nombre no toco
por no escandaliçar. Basten
las señas con que te nombro,

pues que siendo vn ydumeo,*
otra vez a deçir torno, 2920
y aviendo por tus fortunas
llegado a tan alto solio
como mereçer mi mano,
que fué de todos el colmo;
no por aqueso dejaste 2925
los resabios afrentosos
de foragida naçión,
baldón de nuestro abolorio,*
pues, ydrópico de sangre,
no te bastó que en arroyos* 2930
de ynoçentes vidas vieses
toda la ciudad vn golfo,
sino dejar en tu muerte
legado tan afrentoso.
¿Quién sino tú vinculó 2935
la muerte por patrimonio?
¿Qué fiera la más sañuda,* [Fol. 56v]
qué bruto el más riguroso,
qué páxaro el más alebe,
qué bárbaro el más ygnoto, 2940
mató muriendo, pues antes
de hombres, fieras, y abes oygo
que mueren, dando la vida?
Dígalo en jemidos roncos
la víbora, que royendo 2945
sus entrañas, poco a poco
se rebienta por sacar
muchas vidas de vn aborto.
Dígalo el ave que muestra
el pecho a su pecho roto, 2950
y por darles vida, yaçe
desangrada entre sus pollos.
Dígalo el bárbaro pues
altivo, más peligroso
expuesto el pecho, a la espalda 2955
pone a su esposa, y piadoso
se haçe escudo de su vida
contra la pluma, y el plomo,

mas tú, más que todos fiero,
mas tú, más bruto que todos, 2960
mas tú, más bárbaro, en fin,
no sólo amparas, no sólo [Fol. 57r]
faboreçes lo que amas,
pero abaro de los goços,
aun muriendo no los dejas. 2965
Vien como el que codiçioso,
amante de sus riquezas,
porque no las goçe otro,
manda que después de muerto
le entierren con su tesoro. 2970
Supongo que fué fineza
este despecho, supongo
que fueron çelos; que nada
quiero dejar en tu abono.
¿Qué açaña de amor es ésta, 2975
ni qué çelos son tanpoco,
los que sin ser culpa mía
son ymajinado antojo
de bajo espíritu, que
neçiamente escrupuloso, 2980
no estimando a su mujer,
se desestima a sí propio;
y pues tan a costa mía
examino, miro y toco
que podrá vivir mi pecho 2985
más seguro y más dichoso
aborreçido que amado* [Fol. 57v]
desde aquí a mi cargo tomo
el haçer que me aborrezcas;
que aunque pudiera con otros 2990
medios huir de ti, y vivir
en el clima más remoto
(donde el sol abaramente
dispensa sus rayos rojos,
u donde pródigo abrasa 2995
doradas arenas de oro)
no lo e de haçer, que no tengo
de dar con nuestro diborçio

que deçir al mundo; y pues
sin llegar a escandaloso 3000
este apartamiento, puede
quedarse esto entre nosotros.
Vivamos a morir juntos,
mas teniendo por forçoso
que en tu vida ni en mi vida 3005
me as de mirar sin enojos,
me as de hablar sin sentimientos,
me as de escuchar sin oprobios,
ver sin suspiros los labios,
ni sin lágrimas los ojos. 3010
Y este negro velo puesto
siempre delante del rostro, [Fol. 58r]
hará que ni el sol me vea,
siendo mis reales adornos
eternamente este luto. 3015
Y pues fué tirano todo
tu deseo que yo muera
del asesino, el soborno
le e de aorrar, siendo este quarto
de mi vida el mauseolo, 3020
en que nunca a entrar te atrebas,
que por el gran Dios que adoro
que de la más alta almena
me arroje al sepulcro vndoso
del mar, donde despeñada 3025
de número en brebes troços
a los átomos que son
jeroglíficos del oçio,
porque con tanto temor
te miro con tanto asombro 3030
que creo que ya se cumple
de aquel judiçiario docto
el hado; pues si él predijo
que tu açero prodijioso
o vn monstruo me an de dar muerte, 3035
huyendo del vno al otro,
o me a de matar tu açero, [Fol. 58v]
o el mar, que es el mayor monstruo.

*(Vase y çierran por de dentro la puerta.*

Tetrarca. Oye, aguarda, escucha, espera;
mas ¡ay ynfeliz, qué pronto 3040
el ynpulso estaba a darme
con el postigo en los ojos!
Cayga pues al suelo, pero
mal aqüerdo ¡ay de mí! tomo
en balerme de la fuerça, 3045
que es preçiso el alboroto
haga pública la causa,
si con violençia le rompo.
Mejor es, ya que Filipo
tan traydor tan aleboso 3050
la dió el papel que trayá
(mal la cólera reporto)
para Tolomeo, llebar
sus despechos de otro modo,
y acudiendo al rendimiento, 3055
al alago, al desenojo,
valerme de la común
disculpa de los çelosos,
que es que nunca están más qüerdos
que quando se ven muy locos. 3060
¿Qué pasión ¡çielos! es ésta, [Fol. 59r]
de amor hija y madre de odio,
que es quando más la padezco
quando menos la conozco?
Pues si los çelos difinir hubiera, 3065
en vn camaleón los retratara,*
que del ayre no más se alimentara,
y a cada luz nuebo color tuviera.
Ojos de vasilisco le posiera,*
que con ser visto o ver siempre matara, 3070
pies de topo, que en todo tropezara,
y alas de alcón que todo lo coxiera.
De la sirena le añadiera el canto,*
del áspid las cautelas, los desbelos
del linçe, y de la hiena en fin el llanto. 3075
Mas ¿dónde vas? Parad, parad, reçelos,
no forméis vn compuesto de orror tanto
que el mayor monstruo ayan de ser los çelos.
Y pues con aquel aqüerdo

y este discurso propongo 3080
apelar, como ya dije,
al rendimiento en apoyo
de que ay quien califique
por fineças los arrojos,
apele de ésta a la puerta, [Fol. 59v]
que cay deste quarto a estotro, 3086
que estando más retirada,
con más secreto es forçoso
que pueda sin ruido abrirla.

*(Llega a la otra puerta que estará como diçen los versos y él açe las acçiones que significan.*

Mas no haré si reconozco 3090
quánto defendida está
de candados y çerrojos
por esta parte, y ¿quién duda
por esotra sea lo propio?
¿ Quién sin fiarse de nadie, 3095
pues qualquiera es sospechoso
el día que lo fué Filipo,
romperlos pudiera solo?
Mas ¿cómo a de ser posible
sin que entre aparte el escoplo 3100
con lo sutil del barreno,
u de la lima lo sordo?
¿A fuerça quién bastará
ni a mano...? Pero, piadosos
çielos. ¿Qué es esto? Las llabes 3105
echadas en falso topo,
¿abierta(s) está(n) si no es
que enterneçido a mi lloro
vn yerro en otro se abranda?* [Fol. 60r]

*Abre la puerta y sale como a urto* LIBIA.

LIBIA. Pues ya por de fuera oygo 3110
ruydo en los pestillos, quite
los que por de dentro rotos
dejó Astolfo. ¿Es Tolomeo?

Tetrarca. No es Tolomeo.
Libia. ¡Qué ahogo!
¡Buelba a encerrarme!
Tetrarca. Detente, 3115
aguarda.
Libia. ¿Qué miro, cómo
señor, tú aquí, si yo, quándo?
Tetrarca. Pues, ¿de qué es, Libia, el asombro?
¿Puedes ygnorar que puedo
estar aquí quando todos 3120
saben que e buelto a palaçio?
Libia. Como esas cosas ygnoro,
pues aun no sé de mí misma
si viba o muerta me nombro
desde que esta obscura cárçel 3125
avito, donde Fabonio*
a entrar no se atrebe en vientos
como ni en luçes Apolo.
Tetrarca. ¿Cobra el aliento tu presa,
Libia, aquí?
Libia. De ello te ynformo, 3130
porque la verdad te mueba
a estar conmigo piadoso.
Tetrarca. Pues ¿qué a abido? [Fol. 60v]
Libia. Tolomeo
(¡qué mal las raçones formo!
mas ¿qué mucho, si las pierdo 3135
quando pienso que las cobro?)
Tolomeo, (¡ay de mí!) triste
me servía para esposo.
Nuestro amor Mariene supo,
no ynporta que sepas cómo, 3140
pues basta que no le falten
aun al más lícito estorbos;
a él desterró de palaçio.
Y en mí que en efeto somos
más culpadas las mujeres 3145
de su ofendido decoro,
vengó la saña encerrada
aquí donde me ve sólo

vna esclaba que me tray
lo que vevo y lo que como. 3150
Astolfo que deste alcáçar,
alcayde hiço, o por piadoso
o por deudo, o por amigo
o por granjeado, o por todo, [Fol. 61r]
viniendo a doblar las llaves, 3155
no sé a qué fin cuydadoso
oy más que otros días me dijo:
«Libia, librarte dispongo,
está advertida de que
Tolomeo...» *(Dentro ruydo.*

Tetrarca. Pasos oygo. 3160
Buelbe Libia a tu prisión,
que verte aquí es sospechoso
y más conmigo segura
que no sólo te perdono,
mas te agradezco el delito 3165
de tu amor.

Libia. A tus pies pongo
mi vida y mi onor.

Tetrarca. Palabra
te doy de poner en cobro
tu onor y vida.

Libia [*aparte*]. Fortuna,
hasta quando tus antojos 3170
an de traer mis desdichas
a dar de un peligro enojo. *(Vase.*

Tetrarca. Veré quién es, que después
que buelba a quedarme solo,
entraré donde a la esclaba 3175
espere. Con el socorro [Fol. 61v]
ya más mío que de Libia,
oy lograré el desenojo
de Marïene, si es
que con lágrimas le compro; 3180
y tan rendido, que berla
sin este açero dispongo,
porque ninguno a mi lado
la pueda causar asonbro.

*Sale* Tolomeo.

Tolomeo [*aparte*]. Veré si Astolfo a cumplido 3185
la palabra que me da;
pero aquí el Tetrarca está,
¡çielos! ¿qué abrá suçedido?
¿Mariene averse escondido?
¿Él averse retirado? 3190
¿Yo la ocasión mal logrado?
Disimule.

Tetrarca. Tolomeo.

Tolomeo. Señor.

Tetrarca. ¿Dónde está, deseo
saber, Filipo?

*Sale* Filipo.

Filipo. Postrado
a tus pies donde, señor, 3195
en albriçias de tu vida... [Fol. 62r]

Tetrarca. Verás la tuya perdida
a manos de mi furor. (*Pónese en medio* Tolomeo.

Filipo. ¿En qué te ofendí?

Tetrarca. Traydor,
poco leal menos fiel. 3200

Tolomeo. Tente.

Tetrarca. ¿Qué hiçiste un papel
que te dí?

Tolomeo. Mis penas creo.

Filipo. ¿No era para Tolomeo?

Tetrarca. Sí.

Filipo. Pues él te dirá dél.

Tolomeo. ¡Qué poco duró (ay de mí) 3205
el secreto en la mujer!

Tetrarca. ¿Diótele a ti?

Tolomeo [*aparte*]. ¿Qué e de haçer?
Sí señor.

Tetrarca. ¿Qué hiçiste di
dél tú?

Tolomeo [*aparte*]. La verdad aquí

es la disculpa mejor. 3210
Vna dama...

TETRARCA [*a* TOLOMEO]. Di.

TOLOMEO [*aparte*]. ¡Qué orror!
A quien sirbo para esposa.

TETRARCA. Ya lo sé.

TOLOMEO. De mí çelosa
(neçios delitos de amor)
me le quitó de la mano 3215
a cuyo tiempo llegó [Fol. 62v]
tu esposa.

TETRARCA. Castigue yo...

FILIPO. Tente, señor.

*(Pónese en medio* FILIPO. *Vase huyendo* TOLOMEO, *el* TETRARCA *tras él y buelben por la otra parte.*

TETRARCA. Tan tirano
yerro.

TOLOMEO. Esperar es en bano.
La fuga mi vida guarde. *(Vase.*

FILIPO. ¡Huye, Tolomeo!

TETRARCA. ¡Cobarde! 3221
Si al mismo çielo te subes,
las murallas de sus nubes
te ampararán mal o tarde.

*Sale* [TOLOMEO] *atrabesando el tablado.*

TOLOMEO [*aparte*]. ¿Adónde estaré seguro 3225
si furioso me a seguido?
Aviendo hasta el mar salido
por la surtida del muro,
de aquella tienda procuro
valerme. *(Vase.*

FILIPO. En la tienda a entrado 3230
del Çésar.

TETRARCA. Ese sagrado
y otro empeño aun más cruel
me fuerçan a bolver dél,
ofendido y no vengado. *(Vase.*

*Buelbe* TOLOMEO *a salir por otra parte retirándose de* OTAVIANO. [*Sale* OTAVIANO.]

OTABIANO. Hombre que tan atrebido, 3235
robado el color, y puesta
la mano en la espada, ¿osas [Fol. 63r]
aver entrado en mi tienda,
quando e mandado que todos
solo me dejen en ella 3240
con mis pesares? Si acaso
alguna trayçión yntentas,
buena ocasión as hallado.
¿Qué aguardas?

TOLOMEO. Detente, espera;
que es lealtad, y no trayçión, 3245
la que a este trançe me fuerça.

OTABIANO. ¿Quién eres?

TOLOMEO. Soy vn so ldado
hijo ynfeliz de la guerra,
que llegué por mis serviçios
a ser capitán en ella 3250
de las guardias del Tetrarca,
y de Sion en su ausençia*
gobernador.

OTABIANO. ¿Qué pretendes?

TOLOMEO. No mi vida aunque pudiera,
La de Marïene, sí, 3255
que es mi señora y mi reyna.

OTABIANO. Buenas cartas de fabor
traes. Di, y lo que fuere sea.

TOLOMEO. (¡O Libia, quánto el empeño
de tu libertad me arriesga, 3260
pues por ti de vna verdad
e de haçer vna cautela!) [Fol. 63 v]
El Tetrarca, enamorado
tanto de su esposa vella
vivió, que yntentó pasar 3265
a la práctica experiençia
de que amores y pribanças,
quando a sumo estado llegan,

es de su feliçidad
declinaçión la trajedia. 3270
Viendo pues que de su muerte
declarada la sentençia
estaba; y viendo que tú,
enamorado de verla,
en vn retrato la amabas 3275
(que todo aquesto me qüenta
quien trujo vna carta), alebe
dispuso mandarme en ella
que yo, como quien aquí
asistía de más çerca, 3280
la atosigase a vn veneno:
cuyos çelos de manera,
al verla oy viva y contigo,
creçieron con la sospecha
de que por ella avías dado 3285
a Jerusalén la buelta;
que en vez de que agradeçido
de que su vida pidiera
con tantas ansias, llegó [Fol. 64r]
con ella a palaçio apenas, 3290
quando en un obscuro quarto
la encerró, y con saña fiera
conmigo embistió a matarme,
por no averla hallado muerta.
Dél es de quien vengo huyendo 3295
a darte la ynfeliz nueba
de que Marïene está
por ti en tanto riesgo puesta,
que no tiene de su vida
seguridad; pues es fuerça 3300
quien en ausençia lo manda,
que lo ejecute en presençia.
Pues eres Çésar, señor,
y tan jeneroso Çésar,
que para vitorias tuyas 3305
faltan plumas, faltan lenguas,
del poder deste tirano
la saca, porque te deba*

| | | |
|---|---|---|
| | el sol su mejor aurora, | |
| | la aurora su mejor perla, | 3310 |
| | la tierra su mejor flor, | |
| | el çielo su... | |
| Otabiano. | Çesa, çesa, | |
| | no prosigas, no prosigas, | |
| | no en la persuasión me ofendas. | |
| | ¿Espuesta Mariene, (¡çielos!) | 3315 |
| | y por mi ocasión espuesta | [Fol. 64v] |
| | a tanto riesgo? ¿Qué aguardo? | |
| | (Pero con más advertençia | |
| | lo e de mirar, que no es vien | |
| | que la ynformaçión primera | 3320 |
| | me llebe tras sí; y más quando | |
| | no es cobarde la sospecha | |
| | de todos estos.) Soldado, | |
| | mira si verdad me qüentas. | |
| Tolomeo. | Tanto, que a la misma torre | 3325 |
| | adonde ençerrada, presa | |
| | y aflijida está, señor, | |
| | te llebaré a que la veas, | |
| | luego que vaje la noche | |
| | de pardas sombras cubierta. | 3330 |
| Otabiano. | ¿A la misma torre? | |
| Tolomeo. | Sí, | |
| | porque yo tengo... | |
| Otabiano. | Di apriesa. | |
| Tolomeo. | (¡Para qué de cosas oy | |
| | sirbió mi amor!) Llaue maestra | |
| | de sus jardines. Si acaso | 3335 |
| | de mi lealtad te reçelas, | |
| | lleba tus guardas contigo | |
| | para que llegando a verla, | |
| | como e dicho, en su socorro, | |
| | asegures tus defensas. | 3340 |
| | (Y yo la vida de Libia, | [Fol. 65r] |
| | pues que no dudo que fuera | |
| | del palaçio Marïene; | |
| | podré mejor socorrerla.) | |
| Otabiano. | Tan a los reparos sales, | 3345 |

que ya nada dudo; y sea
lealtad, o trayçión por sólo
verte yré, Mariene vella,
y si es a darte la vida,
quiera amor que lo agradezcas. *(Vanse.*

*Sale* Sirene *con luçes y las* demás [damas] *que puedan con açafates y luego* Mariene.

Mariene. ¡Dejadme morir!
Sirene. Advierte 3351
que esa pena , ese dolor,
más que tristeza es furor,
y más que furor es muerte.
Mariene. Es tan fuerte 3355
mi mal, que por riguroso,
no mata de puro fiel;
sin ver él
que ser conmigo piadoso,
no es dejar de ser cruel. 3360
Dama 1ª. Ya que aborreçiendo el lecho,*
en el jardín as estado
hasta ora, dé el cuydado
blandas treguas al despecho.
Mariene. Mal sospecho 3365
que pueda el sueño alibiar
mi pesar; [Fol. 65v]
pero, porque no paguéis
la culpa que no tenéis,
empeçadme a destocar. 3370
*(Van recojiendo en los açafates los más adornos que pueda quitarse.*

Sirene. ¿Quieres, mientras desafía
al sol esplendor tan vello,
desmarañando el cabello
de las prisiones del día,
la voz mía 3375
algo te divierta?
Mariene. No,
porque yo

no quiero que me mejore
quien cante, sino quien llore.

SIRENE. Filósofo hubo, que dió* 3380
causa en la naturaleza
para aumentar la armonía
al alegre la alegría,
como al triste la tristeza.*

MARIENE. Pues empieza, 3385
con condiçión que al dolor
hagas mayor.

SIRENE. Con vna letra será,
que aunque es antigua, podrá
aconsejar lo mejor. 3390

CANTA. *Si te quisiere matar**
*algún enemigo fiero,* [Fol. 66r]
*madruga y mata primero.*

MARIENE. ¡Ay de quien a de esperar
a morir, y no matar, 3395
y más quando considero
quánto se açerca el severo
hado contra quien no sé*
en mi defensa qué haré!

*Canta* SIRENE. *Madruga, y mata primero.* 3400

*Salen* OTABIANO *y* TOLOMEO.

TOLOMEO. Pisando las negras sombras
en el silençio nocturno,
el jardín as penetrado,
a tiempo que al quarto suyo
se va retirando ella. 3405

OTABIANO [*aparte a* TOLOMEO]. Ya tus verdades no dudo,
ni su afliçión; pues tan sola
está, y vestida de luto
todavía. Tú a esa puerta,
en tanto que me aseguro, [Fol. 66v]
pues menos ruydo hará vno, 3411
me espera.

TOLOMEO. Sí haré, teniendo*

la jente que as traydo, a punto
para qualquiera acçidente. *(Vase.*

Otabiano [*aparte*]. Tanto de verla me turbo, 3415
que no sabré discurrir
si esto es ya pesar o gusto.

Mariene. Buelve, Sirene, pues es
tan a mi yntento el asunto.—
Tú, Arminda, çierra esas puertas. 3420

Sirene. Obedeçerte procuro.

Dama 1ª. Y yo también, pues acudo
las puertas a çerrar.

*(Ve a* Otaviano. *Deja caer el azafate y buelbe huyendo.*

Otabiano. No
lo yntentes, que es dolor sumo,
sin luz y sol quedar çiego 3425
dos veçes.

Dama 1ª. ¡Qué veo y escucho!
¡Ay ynfeliçe!

Mariene. ¿Qué es eso?

Dama 1ª. El mal emboçado bulto
de vn hombre que hasta aquí a entrado.

Mariene. ¿Hombre aquí?

Otabiano [*aparte*]. Ya hablar no escuso. 3430

Mariene. ¡Dad voçes!

Sirene. Yo no podré,
que aun como respire dudo.

*(Vanse huyendo dejando los açafates caer.*

Dama 1ª. Ni yo, que apenas aliento. *(Vase.* [Fol. 67r]

Dama 2ª. Ni yo, que tímida huyo. *(Vase.*

Mariene. Huya yo también.

*(Desembóçase* Otaviano, *detiénela.*

Otabiano. Teneos 3435
vos, y reparad el susto;
pues más que para enojaros,
para serviros os busco.

Mariene. ¡Vos, señor! Pues... cómo... si...
aquí... yo... quándo...

Otabiano. Quien pudo 3440
antes de veros, amaros,
después de veros, no dudo
que dejar de amaros pueda.

Mariene. No son de vn César Augusto
tales açiones.
Otabiano. Sí son, 3445
pues más a veros me trujo
vuestro daño que mi afecto,
vuestro riesgo que mi gusto.
Yo e savido que, en poder
de tirano dueño ynjusto, 3450
estáis espuesta al peligro
de tan sacrílego ynsulto
como que obre por su mano
lo que por otra dispuso.
A poner en salbo vengo 3455
vuestra vida.
Mariene. El lavio mudo
quedó al veros, y al oýros
su aliento le restituyo, [Fol. 67v]
animada para sólo
deçiros que algún perjuro, 3460
alebe traydor, en tanto
malquisto conçepto os puso.
Mi esposo es mi esposo, a quien
amo, amado con tan puro
amor, que en los qüerpos somos 3465
dos, pero en las almas uno.
Y suponiendo ymposibles
que con vergüença pronunçio
quando fuera, que lo niego,
que me mate vn error suyo, 3470
no a de matarme mi error,
y lo será si dél huyo.
Con que viene a ynportar menos*
morir ynoçente, juzgo,
que vivir culpada a vista 3475
de las maliçias del bulgo.
Y así si alguna fineza
e de deveros, presumo
que la mayor es bolveros.
Otabiano. Sí haré, si vuestro discurso, 3480
como salba mi primero
motibo, salba el segundo.

Vn retrato tenía vuestro,
a cuyo hermoso dibujo,
sin saver el dueño, daba 3485
mi humana adoraçión culto.
Por sanear sospechas (ya [Fol. 68r]
lo visteis) saviendo cúyo
fuese, os le di; y pues en vuestro
decoro sirbió, no dudo 3490
que con justiçia le pido.

MARIENE. No haçéis; que tenerle es vno
por despojo, y otro es,
por dádiba; y a este puro
fuego abrasará esta mano, 3495
si en ella el menor ynpulso
reconoçiera de que
para bolvérosle tubo.

*(Va a poner la mano en la luz. El se la toma y ella retirándola le saca el puñal de la çinta.*

OTABIANO. No hiçiérades, que ympidiera
yo llegar al ardor suyo, 3500
estorbando así la acçión.

MARIENE. Es atrevimiento ynjusto.

OTABIANO. No es, sino justo deseo.

MARIENE. Antes a los çielos juro
que con vuestro mismo açero, 3505
que ya en mi mano desnudo
está, me atraviese el pecho.

OTABIANO. Tente, mujer; que confundo
mis sentidos al mirar
no sé qué fatal trasunto 3510
que vi otra vez. *(Retírase.*

MARIENE. De ese pasmo,
de ese pabor que os ynfundo,
el contratiempo goçando, [Fol. 68v]
huyré, siempre este agudo
filo al pecho. Mas ¡çielos! 3515
¿no es el que fiero y sañudo
me amenaça? Con más causa
ya de dos contrarios huyo.

OTABIANO. Oye, espera.

*Deja caer el puñal y vase y* Otabiano *tras ella y sale el* Tetrarca *por otra parte.*

Tetrarca. ¿Quién, ladrón
del propio tesoro suyo, 3520
dentro de su misma casa
goçó sus vienes por vrto?
Hasta aora la esclaba no
abrió. ¡Y yo triste discurro
el quarto a la media luz 3525
de escaso esplendor nocturno,
que allí orrores late, y más
si a sus reflejos descubro
de mujeriles adornos,
ajadamente difusos, 3530
sembrado el suelo! ¿Qué es esto?
No me propongas, discurso,
que vajel que echa la ropa
al mar, padeçe ynfortunios;
que casa que se despoja 3535
de las alajas que tubo,
estragos de fuego corre;
pues ni la tormenta dudo [Fol. 69r]
ni el yncendio ygnoro, quando
entre dos aguas fluctúo, 3540
entre dos fuegos me yelo,
viendo que me embisten juntos,
para çoçobrar, suspiros,
para haçerme llorar, humo.
Estas arrojadas señas, 3545
¿no son de nobles, de augustos
faustos despojos? ¿Y aquéste
no es el fiero puñal duro,
que registro de los astros
es aguja de sus rumbos? 3550
¿No es éste el que yo a Otabiano
dejé? ¡Sí! Pues ¿quién le trujo
aquí entre arrastradas pompas?
Pero ¿para qué lo apuro,
si es de los desconfiados 3555

la ymajinaçión verdugo?
¡Tarde emos llegado, çelos,
y vien tarde! Pues no dudo
que quien arrastra despojos,
abrá çelebrado triunfos. 3560
Si es dichoso el desdichado,
que, no siéndolo, lo tubo [Fol. 69v]
por çierto; y pues se me buelben
mis agorados anunçios
tan a la mano, a ellos muera 3565
antes que...

*Dentro* Otabiano. ¡Tente!

Tetrarca. ¡Qué escucho!

*Buelben huyendo* Mariene *y* Otabiano *tras ella y da en braços del* Tetrarca *tropeçando.*

Otabiano. Vello prodijio.

Mariene. Es en vano,
mas ¡ay de mí! ¡Çielos justos!
¡Qué es lo que miro!

Tetrarca. Turbado
e quedado.

Otabiano. Yo confuso. 3570

Mariene. Yo confusa y turbada,
pues entre dos daños, de vno
doy en otro, y ya no sé
quál dejo, ni quál procuro,
pues siempre tengo peligro, 3575
quando caygo y quando huyo.

Otabiano. No temas, que de tu vida
este pecho será escudo.

Tetrarca. Vista tu fuga, a tu onor
este pecho será muro. 3580

*(Riñen los dos y ella mata las luçes.*

Otabiano. Cumple, pues, lo que prometes.

Tetrarca. Así verás si lo cumplo.

Mariene. Y yo si así lo embaraço.

Tetrarca. ¿Adónde, Çésar perjuro,
te escondes?

Otabiano. Yo no me escondo. 3585
Aquí estoi.
Tetrarca. Ya yo te busco. [Fol. 70r]
Y pues a braços llegamos,
en ellos muere.
Mariene. ¡O ynjustos
ados, que ynoçente muero
protesto al çielo!
Los dos. ¡Qué escucho! 3590
Tolomeo. Entrad todos, que de voçes
y armas es grande el tumulto.

[*Salen todos.*]

Sirene. Llegad todos.
Libia. A tan grande
estruendo, salir no escuso
de mi prisión.
Todos. ¿Qué es aquesto? 3595
Polidoro. No aber goçado el indulto
Marïene me parece.
Otabiano. Dar muerte al ombre más bruto,
más bárbaro, y más sangriento,
que a eclipsado el sol más puro. 3600
Tetrarca. Yo no la e dado la muerte.
Todos. Pues ¿quién?
Tetrarca. El destino suyo, [Fol. 70v]
ya que muriendo a mis çelos
y a mi puñal, ejecuto
que mató a lo que más quise, 3605
el mayor monstruo del mundo.
Y porque de su bengança
no logre el lauro ninguno,
ya la bengaré de mí
arrojado deste muro 3610
al mar. (*Vase.*
Otabiano. Primero a mi mano.
Capitán. Será en bano, que sañudo
se arrojó.
Otabiano. Con que en trajedias

pararon todos mis triunfos.
Tolomeo. Sígueme, Libia, y huiamos 3615
de ver tan mísero asunto.
Libia. ¡Qué lástima!
Sirene. ¡Qué desdicha!
Filipo. ¡Qué orror!
Capitán. ¡Qué asonbro!
Polidoro ¡Y qué abuso
no aorcarme a mí y degollarla
a ella! [Fol. 71r]
Otabiano. Ermoso sol caduco, 3620
pues que no puedo vengarla,
yo aré eterna a los futuros
siglos su fama, diçiendo
la yscripçión de su sepulcro:
la ynoçente Marïene, 3625
dió fin cunpliendo su ynflujo
ynjustos çelos, que son
el mayor monstruo del mundo.
Polidoro. Como la escribió su autor;
no como la ynprimió el vrto, 3630
de quien es su estudio echar
a perder otros estudios.

*finis.*

El fiscal y el censor la vean [y] confirmen, Madrid, a abril 21 de 1672.

(Rúbrica)

Vista y aprobada, Madrid, a 23 de abril de 1672.
D. Francisco de Avellaneda.
(Rúbrica)

# NOTES

# *Commentary*

*Jesus María Joseph.* It was customary for dramatists at this time to begin each act of a play with some pious invocation.

The reading *monstro*, a popular form, has been retained in the text.

*Personas.* The actors listed in the *reparto* have, in nearly all cases, been identified by H. A. Rennert, *The Spanish Stage in the Time of Lope de Vega* (New York, 1909). Upon the death of his father in 1651, Sebastián García de Prado took over the management of a company of players. His wife was Bernarda Ramírez at that time and she played the role of *dama.* In 1659 he had a company with Juan de la Calle. In 1670 and 1672 he played the role of *primer galán* in the company of Manuel Vallejo.

The abbreviation Juº stands for Juan. Juan Fernández figured in the company of Antonio de Escamilla in the 1670's and later he was associated with Manuel Vallejo.

An actor by the name of Juan Francisco belonged to Manuel Vallejo's company in 1670.

Jerónimo Morales was connected with the company of Sebastián de Prado from 1659–62, when he played the roles of second *galanes.*

Bernardo de la Vega was an actor in the company of Juan de la Calle in 1664 playing the role of *tercer galán.*

Juan de la Calle was the manager of a company (1662–64) in which he played second *barbas.*

Manuel de Vallejo, *el Mozo,* was manager of a company performing some of Calderón's plays and *autos* about the year 1660. A few years later he played the *gracioso* in various companies, including that of Juan de la Calle.

María de Quiñones, one of the most renowned actresses of her time, was with Sebastian de Prado's company in 1662.

María de Prado played *segunda dama* in the company of Sebastián de Prado in 1662.

Bernarda Manuela was in the company of Sebastián de Prado from 1650–59. She was also with Juan de la Calle in 1662 and Manuel Vallejo in 1674.

María Alvarez was an actress in the company of Manuel Vallejo in 1674.

The handwriting is almost illegible. Is this the Juan Correa listed by Rennert as an actor in the company of Juan Pérez de Tapia in Seville in 1655?

## ACT I

1–22 This song by the *músicos* opens the play in much the same manner as did the chorus in the tragedies of ancient Greece. See commentary on v. 2501.

In Calderón's *auto*, *El veneno y la triaca* (written in 1634), a song with somewhat similar imagery is found:

> MUS. Aves, Fuentes, Auras, Flores,
> todos a la Infanta decid amores.
> UNO. Aves, su Luz saludad.
> TOD. Cantad, cantad.
> UNO. Fuentes, sus espejos sed.
> TOD. Corred, corred.
> UNO. Auras, su aliento aspirad.
> TOD. Bolad, bolad.
> UNO. Flores, sus galas texed.

2 The word *sol* is used frequently in the *comedia* to refer to royalty or a woman of great beauty; cf. vv. 3372–73.

7–8 A conventional poetic conceit to describe meadows and gardens as bursting into bloom when trod by a fair lady. Cf. *Peribáñez:*

> Yo vi los verdes prados
> llamar tus plantas bellas
> por florecer con ellas,
> de su nieve pisados.

20 *Berjel*, flower garden. Did the flower gardens of the Buen Retiro provide Calderón with the inspiration for his imagery? In 1634 when the palace was first opened Calderón wrote an *auto*, *El nuevo palacio del Retiro*, in which he speaks of the gardens in the following terms:

> Monte fué de austeridades,
> ya jardín bello, que vino
> Agricultor, que al camino
> venció las dificultades.
> Y así aquestas soledades,
> que desiertas y penosas
> fueron, ya cultas, ya hermosas
> están, porque labró en ellas
> quien le hizo campo de estrellas,
> quien le hizo cielo de rosas.

There is also mention made of the pools, fountains, and the building called the *gallinero* which housed the wild beasts and birds, "porque aquí tienen su estancia la fiera, el ave y el pez." See Angel Valbuena Prat, *La vida española en la edad de oro* (Barcelona, 1943), pp. 255–57.

Calderón was equally impressed by the Gardens of Aranjuez which he describes in similar terms in *Casa con dos puertas*.... According to Covarrubias, *Tesoro*, a *vergel* is a flower garden with shrubs, delightful to look at, a place of recreation similar to a *jardín*. A *huerto* has (fruit) trees and is not primarily for recreation.

38 *Ydumeo*, an Idumean. Idumea was the Greek name of Edom, an ancient region S.E. of Palestine. Its inhabitants claimed descent through Esau from Abraham and were acknowledged by the Israelites (Deut. 22 : 7) as kin. Herod's family seems to have been of Idumaean origin, so that its members were liable to the reproach of being half-Jews or even foreigners. Justin Martyr has a tradition that the Idumaeans were originally Philistines of Ascalon. Cf. v. 1386, "vaja estirpe hebrea"; vv. 2914–15, "bastarda rama del tronco/de Judá, un ascalonita."

43–45 The Roman empire at the height of Octavian's career comprised parts of present-day Spain, Portugal, France, Germany, Egypt, Switzerland, Austria, Hungary, Turkey, Syria, Israel, and Great Britain.

46 The line is long by one syllable.

56 *quien*. Both singular and plural at this time; refers to both persons and things. Cf. Bello-Cuervo, *Gramática*, Paragraph 329.

59 *dueño*. The use of this masculine noun applied to a female person was very common in the seventeenth century. It occurs again in v. 2813.

64 *Mar de Jafe*, The Mediterranean. Jafe was the seaport of Jerusalem; now called Jaffa.

71 *Flora*. Goddess of flowers and gardens. Her court was composed of flowers, and the fields and forests were her palaces. The Roman Senate instituted floral games in her honor celebrated in the month of April.

72 *Aurora*. Goddess of the morning in charge of opening the doors of the east to the Sun.

85–90 Calderón frequently employs imagery in which the Heavens are compared to a book containing the destiny of men which can be read by an astrologer. *Papel de çafir*, the Heavens; *letras de oro*, the stars and constellations. Cf. vv. 961–68. A similar concept is found in *La vida es sueño* (I. VI. 624–39):

> Esos círculos de nieve,
> esos doseles de vidrio
> que el sol ilumina a rayos,
> que parte la luna a giros;

esos orbes de diamantes,
esos globos cristalinos
que las estrellas adornan
y que campean los signos,
son el estudio mayor
de mis años, son los libros
donde en papel de diamante,
en cuadernos de zafiros,
escribe con líneas de oro,
en caracteres distintos,
el cielo nuestros sucesos
ya adversos o ya benignos.

98 A *relación* in Calderón is almost always introduced by some form of *escuchar* or *oír*, etc. Cf. vv. 1574, 1734, 2836.

99 The art of necromancy was frequently practiced by Jews during the Middle Ages. Cf. the story of the scholar and the necromancer in Juan Manuel's *El conde Lucanor*, Chapter XI, where Don Illán is accused of being a *judío*. For further information on necromancy see Waxman, "Chapters on Magic in Spanish Literature," *Revue Hispanique*, XXXVIII (1916), 325ff.

Torres Naharro alludes to the powers of a certain Jewish astrologer in the *Comedia Tinelaria*, Act II.

Ruiz de Alarcón's *La prueba de las promesas* is a dramatization of *El conde Lucanor*, Chapter XI.

106 *láminas de diamante*, the sky (with its stars).

112 The heavens were looked upon as the book of life foretelling the destiny of mankind. The changed positions of celestial bodies thus determined the changes in man's fate. In *Eco y Narciso* (Act I) we read:

A ese encuadernado libro
de once hojas de zafir
le leía los secretos,
que muchas veces le vi
los futuros contingentes
anunciar y prevenir.

(*B.A.E.*, IX, 579b)

The opposite, the *libro de la muerte*, is found in *La puente de Mantible:*

del libro de la muerte
desencuadernada hoja.

It is also found in the Talmud and the festival prayers of the Jews. At New Year's and on Atonement Day it is mentioned in the synagogue that the Book of Life and the Book of Death are open before God. Cf. v. 2354. Cf. also the following lines from *El príncipe constante* (I. v):

> y del libro de la muerte
> desate la mejor hoja.

113 *círculos de niebe*, an allusion to the astronomical circles and orbits. Cf. Commentary on vv. 85–90.

118 This concept is found in Ptolemy's *Geographia*, Book IV, where, according to an ancient belief, the Nile river is supposed to rise in upper Ethiopia in the mountains of the Moon. Cf. the episode of the fulling mills in *Don Quijote*, ed. F. Rodríguez Marín (Madrid, 1922–23), II, 129, where we read "...los altos montes de la Luna" to designate a very high place. Cf. also v. 651, "pues al orbe de la luna"; v. 2573, "al alcáçar se eleba de la luna."

123–26 Parenthetical interruptions indicating embarrassment or other emotions occur frequently in this play.

127–34 This is the first indication of the fate to befall Mariene in the last act. Note that it is the *puñal* that is to be the instrument of her death.

144 It was customary to repeat the title of the play several times; cf. vv. 2352, 2358. *El mayor monstruo del mundo* is the title used in A, B, and C.

In *No hay burlas con el amor*, for example, the title is repeated five times in one passage (III.xv).

145 Often long speeches, especially soliloquies like this one of the Tetrarch, were printed separately and sold as broadsides.

146 *libro ynmortal*, the heavens.

147 *onçe ojas*. This refers to the eleven concentric spheres which formed the universe according to the seventeenth-century conception of Ptolemaic astronomy. Lope in his *El príncipe perfecto, segunda parte* (Act I) wrote:

> —¿Once son, en fin los cielos?
> —Sí, señor, y este orden guardan:
> El empíreo y primer móvil;
> el cristalino, en que hay agua;
> el firmamento, y tras él
> siete esferas planetarias:
> Saturno, Júpiter, Marte,
> el sol, que ocupa la cuarta,
> Venus, Mercurio y la luna.

The earth was thought to be stationary and the center of the universe, which was surrounded by eleven hollow concentric spheres. Going from the earth, one finds the Moon, Mercury, Venus, the Sun,

Mars, Jupiter, and Saturn. Over these seven planets is the sphere of Fixed Stars called the Firmament. Over the Firmament is the Crystalline heaven, over this is the *Primum mobile*, and over all the other heavens is the Empyrean. See C. H. Grandgent's Introduction to his edition of *La divina commedia*. See also Alarcón, *La prueba de las promesas*, ed. Reed and Eberling (New York, 1928), note to vv. 1099–1100; Tirso, *La prudencia en la mujer*, ed. Bushee and Stafford (Mexico City, 1948), note to v. 2403; Calderón, *El mágico prodigioso*, ed. Geddes (New York, 1929), Act I, note to vv. 889–90 and Act II, note to v. 817; and Frank G. Halstead, "The Attitude of Lope de Vega Toward Astrology and Astronomy," *Hisp. Rev.*, VII (1939), 205–19, and "The Attitude of Tirso de Molina Toward Astrology," *Hisp. Rev.*, IX (1941), 417–39.

149–72 Herod seeks to disparage the predictions of astrology. He argues that people worry needlessly about misfortunes which may never befall them. Calderón was well schooled in argumentation and dialectics. Cf. vv. 175–88, 192–246, 1054, 2340–51.

169 *creer* must be scanned as crasis.

170 *u*. Calderón uses *u* not only after a preceding and before a following *o*, but very often before a word beginning with *d* or *h* (cf. v. 3102); however, *o* is also found in such cases (cf. v. 410).

173–74 It is not uncommon to find passages in which Calderón shows a profound knowledge of human behavior. Cf. vv. 199–200, 507–8, 746–47, 1796–99.

175–88 The Tetrarch gives Mariene another argument for doubting the astrologer's predictions. It is that people are more ready to believe the evil rather than the good that is predicted.

192–247 *perbista* in the MS. A scribal error for *prevista*. Cf. *prebistos* in v. 972 and *prebistas* in v. 1899.

The Tetrarch advances still another argument. The prognostication may or may not be true. Up to now he maintains there has been nothing to assure them that it is true. If it is true, they can consider themselves lucky to have known about it beforehand.

226 *Jentiles*, pagans, originally one not a Jew. Among Christians, one not a Christian or a Jew.

235–37 The medieval Church fathers with the support of ancient philosophy and the scriptures accepted astrology. But since astrology was based on a fatalism which denies free will, a cardinal doctrine of the church, the Church leaders philosophized: *Astra regunt homines, sed regit astra Deus* (The stars rule men, but God rules the stars). The next step in their reasoning was: *Astra inclinant, non necessitant* (The stars predispose, they do not determine). This compromise accepted by Calderón and other Golden Age dramatists was also Shakespeare's view:

The fault, dear Brutus, is not in the stars,
But in ourselves that we are underlings.

Although Calderón realized that astrology was a fraud, he was not above believing it at times and utilizing it for its dramatic possibilities. Cf. Frank G. Halstead's articles mentioned in the Commentary on v. 147. Cf. also Alfonso el Sabio, *Setenario*, ed. Kenneth H. Vanderford (Buenos Aires, 1945), *passim*. Cf. also the following lines from Ruiz de Alarcón's *Las paredes oyen:*

Del cielo es la inclinación;
el sí o el no todo es mío;
que el hado en el albedrío
no tiene jurisdicción.

245–46 *campo de yelo*, the sea. A favorite conceit used frequently by Calderón. *orbe de cristal*, the sea. Cf. vv. 1960, 1969, 2896.

268–69 A paradox. Calderón's fondness for the paradox was due perhaps to Senecan influence.

276 The direct object of *trae* is *que* in v. 273.

285 Calderón compares the fateful dagger with a comet, a basilisk (v. 938), and an asp (vv. 1000, 1045). Other allusions to the dagger occur in vv 257, 1429, 1764, 1774, 2474, 2591, 3505.

286 The two *esferas errantes* are heaven and earth.

292 *prespetibas*. "Pre" is a vulgarism used by the *criada*.

295 The paragogic *e* of *ynfeliçe* is required by the meter.

306 See commentary on v. 295.

336–40 Cleopatra's ship, the Bucentoro, is here compared with a wandering reef; in vv. 590–91 it is compared with a cliff or a crag, in both instances it is outstanding for its lavish adornments.

346 *estrechando* in the eighteenth-century MS.

351–56 Similar concepts of Fortune are common in the *comedia*. In Act II of *El príncipe constante* we read:

Porque nace el hombre
sujeto a fortuna y muerte.

Cf. also Ruiz de Alarcón's *La prueba de las promesas* (Act III):

Como sigue tormenta a la bonanza
en el mar de la vida, y la fortuna
sólo sabe ser firme en la mudanza

And also in Alarcón's *Los favores del mundo* (Act II):

Si rodó la fortuna, ¿quién no sabe
que sólo en ser mudable tiene asiento?

There is an unpublished doctoral dissertation by Helen L. Sears, "The Concepts of Fortune and Fate in the *Comedia* of Lope de Vega," (University of California at Los Angeles, 1949).

360 *Nembrot,* Nimrod, son of Cush. A renowned hunter, city-builder, empire-founder in Shinar (Babylonia), Gen, 10 : 8–12; I Chron. 1 : 10. He is reported to have built Ninevah, other cities, and the tower of Babel.

378–79 The speedy ship of Tolomeo is compared with a run-away horse. In the baroque feeling for force and violence all means of transportation are referred to in terms of others. There is a similar conceit in *La vida es sueño* where Rosaura's horse is compared with an "Hipogrifo violento," (v. 1); in v. 8 we read "te desbocas, te arrastras y despeñas." Cf. vv. 634–42, 2460.

383–87 Calderón is fond of displaying his knowledge of nautical terms found in many of his plays.

390 See commentary on v. 64.

393 *Delfín,* dolphin. In acient times the dolphins were sacred to Apollo and invested with numerous kindly and marvellous attributes. While returning from a successful musical contest in Sicily, Arion is fabled to have been robbed by the sailors and cast into the sea, but to have been saved and carried to Taenarus by a dolphin which his music had drawn to the ship.

395 *creiera.* This form occurs again in v. 582. *Creiendo* is found in vv. 970 and 979.

449–51 Stoic philosophy. According to Stoic philosophy the wise man is governed by reason, subdues his passions, and is indifferent to pleasure or pain. Cf. vv. 461–62, 469–70, 1817–21, 2511–13.

456 *República,* here a fleet.

485–88 The concept of the *marido* and *galán* is repeated in vv. 1064, 1744–45, 1920.

495–514 The Tetrarch's passion reaches its climax here. His love for Mariene is madness, as he himself admits:

que quando amor no es locura,
no es amor.

Cf. also Ruiz de Alarcón, *Las paredes oyen* (Act III):

DOÑA ANA. ¿Qué es esto, don Juan?
DON JUAN. Amor.
DOÑA ANA. Locura, dirás mejor.
DON JUAN. ¿Cuándo amor no fué locura?

514+ The use of florishes and ruffles to announce the arrival or departure of royalty whether in defeat or victory is very old and was not restricted to the Egyptians. Cf. vv. 1300–6.

516 *Menfis*, Memphis, ancient Egyptian city on the banks of the Nile, to which the scene now shifts.

518 Marc Antony, one of the Roman triumvirate with Octavian and Lepidus. He lived from 83–30 B. C. Cleopatra, Queen of Egypt. She lived from 69–30 B. C. Cf. Shakespeare's *Antony and Cleopatra*, and Plutarch's *Life of Marcus Antonius* as translated by North. Cf. also the tragedy *Marco Antonio y Cleopatra* by Diego López de Castro, first printed in 1582.

525–26 See commentary on v. 43.

536 Perhaps Calderón was thinking of the mythological steeds of the sun-chariot driven by Phaeton.

558–61 There is a similar situation in *El alcalde de Zalamea* (I. xvii):

CAPITÁN (*aparte a* REBOLLEDO). ¡Ha, Rebolledo! por Dios,
que nada digas; yo haré
que te libren.

591 *risco*. A cultist word for ship.

596 *callallo* shows the assimilation of the final *r* of the infinitive to the following *l* of the enclitic pronoun. See R. Menéndez Pidal, *Manual de gramática histórica española* (5th ed.; Madrid, 1929), Paragraph 108: "... se puso de moda en la corte de Carlos V por predilección a Garcilaso y ... continuaron usándola los poetas durante todo el siglo XVII."

612 *aristoboló*. A jocular coinage from the name Aristóbolo and meaning "to bewitch or convert into Aristóbolo." Cf. *polidoré* in v. 1590. Cf. also *segismundasteis* (v. 2273) in *La vida es sueño*. A similar parody on a prince is found in *La vida es sueño*, III, 2–3.

634–42 Here the speedy ship is compared with the flight of a bird and the rapid swimming of a fish. See E. M. Wilson, "The Four Elements in the Imagery of Calderón," *Mod. Lang. Rev.*, XXXI (1936), 34–47. Note the chiasmus in vv. 636–37. See Commentary on 378–79. Cf. "pájaro sin matiz, pez sin escama," *La vida es sueño*, I.i. 4.

685–86 Compare these lines with Calderón's concept of love as expressed in vv. 507–8.

691–92 The *rosa* and *niebe* refer to the Rubens-like pink and white glow of Cleopatra's body. The *cristal*, usually associated with water, here applied to the transparent skin, and *sangre* are virtually one and the same thing, the latter to be taken literally, the bleeding wound.

746–47 Calderón's verses occasionally have the force of an epigram. Cf. vv. 507–8 and 685–86.

A similar opinion concerning the writing of secrets is found in *La devoción de la cruz* (Act I):

¡Mal haya el hombre, mal haya
mil veces aquél que entrega
sus secretos a un papel!

747 The question of spoken letters in Calderón has never been studied. Cf. T. E. Hamilton, "Spoken Letters in the *Comedias* of Alarcón, Tirso and Lope," *PMLA*, LXII (1947), 62–75.

756 The *no* is pleonastic.

818–19 There are no cliffs at Jaffa.

820 Refers to *elebados riscos* in v. 819. Here the meaning seems to be "twin guardians." Narcissus, a youth in Greek mythology, for his indifference to the nymph Echo was doomed to pine away for love of his own image until finally changed into a flower.

822–34 Expressions of grief and sadness occur frequently in Spanish Baroque literature. Cf. vv. 849–52, 863–66, 879–82. For hypocondria as an aristocratic ailment see Commentary on v. 1447.

900–4 *Rayos*, rays, eyes. A similar conceit is found in *La vida es sueño* (I. 6. 626–27):

que el sol ilumina a rayos,
que parte la luna a giros.

912 The allusion is to the phoenix, a mythical bird, said to live five hundred years in the desert of Arabia, and, after being consumed by fire, to rise again, fresh and beautiful, from its own ashes.

938 A basilisk was a fearful creature of classic and medieval legend, like a serpent, lizard, or dragon, whose breath and look were fatal. Pliny speaks of this creature in Book 8, Chapter 21; Pero Mexía in his *Silva de varia leçión*, Chapter I, p. 504, writes "el basilisco que tiene ponçoña solamente en los ojos, que mata con su vista."

953 Filipo had already returned the dagger to Herod. Cf. vv. 883–85.

960 See commentary on v. 149. There Herod tried to minimize the predictions of astrology. Here he admits that although he does not believe them, he does not doubt (vv. 959–60) that they exist (v. 961). See also vv. 971–76.

962–68 Another reference to the heavens which foretell the fate of man. See commentary on v. 112 and vv. 146, 147.

994 The obelisk is often inscribed with hieroglyphics. Here the meaning seems to be "tombstone."

1000 The *áspid bruñido* is the dagger.

1002 The *candidos lirios* are, of course, her feet.

1012 The reading *a* of the partly autograph MS, which seems to be in error here, has been replaced by the reading *he* of the eighteenth-century MS.

1019 *La parca*, the Fates. In classical mythology they are three Greek goddesses who preside over the destinies and the length of life, Clotho who spins the thread of life, Lachesis who measures it off, and Atropos who severs it. See also vv. 1823 and 2462.

1032 A controversy over interpretation of the various aspects of predestination and free will raged between the Dominicans and Jesuits in the latter part of the sixteenth century. This was precipitated in no small part, perhaps, by the failure of the Council of Trent to settle the issue decisively.

1117 entre governs *apartarle* and also *açercarle* in v. 1119.

1126–31 Here is a more exact prognostication of the dénouement.

1139 The husband (like the father and brother) is the custodian of the family honor and has to cleanse with blood any stain to it. On the concept of honor see Antonio Rubio y Lluch, *El sentimiento del honor en el teatro de Calderón* (Barcelona, 1882); D. C. Stuart, "Honor in the Spanish Drama," *Rom. Rev.*, I (1910), 247–58, 357–66; Américo Castro, "Algunas observaciones acerca del concepto del honor en los siglos XVI y XVII," *Rev. de Fil. Esp.*, III (1916), 1–50, 357–386; G. T. Northup, "Cervantes' Attitude toward Honor," *Mod. Phil.*, XXI (1923), 397–421; Northup (ed.), *Three Plays by Calderón* (Boston, 1926), pp. xvi–xxiv; W. L. Fichter's edition of Lope de Vega's *El castigo del discreto*, New York; (Instituto de las Españas, 1925), pp. 28 ff.; and H. Elías de Molins, "El sentimiento del honor en el teatro de Calderón," *Revista de España*, Nos. 80, 81, 82.

1178 The Tetrarch's note to help Antony has fallen into Octavian's hands and has bared his treachery to the emperor.

1194 This line is long in both MSS.

1207–8 Reminiscent of the last two lines of *La vida es sueño*, Act I:

> es todo el cielo un presagio,
> y es todo el mundo un prodigio.

## ACT II

1229 *cay*. Archaic form.

1233–34 Cf. vv. 507–8.

1244 *Truje*. Archaic for *traje*. See Bello-Cuervo, *Gramática*, Paragraph 557.

1276 *Gitana*, Egyptian; i.e. Cleopatra, Queen of Egypt, 69–30 B.C.

1277–78 See also vv. 1725–29 where the story is referred to as a "trájica farsa," and v. 3270 where the word "*trajedia*" is used. Perhaps the most outstanding tragedy dealing with Antony and Cleopatra is the one by Shakespeare.

1284+ *Cajas destempladas.* We know from the text (v. 1288) that trumpets as well as drums were heard. See commentary on v. 514+.

1285 *aquesto.* The pronouns *aqueste*, *aquese*, and *aquel*, derived from Cl. Lat. *ecce iste* and *ecce ille*, V. Lat. *eccu(m)-iste* and *eccu(m)-ille*, were in use until the seventeenth century. Only *aquel* has survived. See Menéndez Pidal, *Gramática histórica española.* (5th ed.; Madrid, 1929), Paragraphs $98_3$, $99_3$.

1300–1306 See commentary on v. 514+.

1331–34 The pompous flattery which the Tetrarch directs to his superior is reminiscent of those inflated and meaningless epithets Calderón used when fawning on royalty to curry its favor. See my article "Courltly Allusions in the Plays of Calderón," *PMLA*, LXV (1950), 531–49.

1385 *Ydumeo*, an Idumean. See commentary on v. 38.

1393 For the extent of the Roman empire see commentary on v. 43.

1412+ For other cases of a falling picture in the *comedia* see p. 21, n. 24.

1447–50 According to Ludwig Pfandl, *Historia de la literatura nacional española en la edad de oro*, (Barcelona, 1933), p. 252, *hypocondria* was much more distinguished than mere melancholy and it came to be an aristocratic ailment. Moods of melancholy came to be quite fashionable in Spain in the seventeenth century, and Calderón has left us some satirical remarks about this custom. A *gracioso* Pasquín in *El cisma de Ingalaterra* (Act II) says:

> Yo vi muy triste a una dama,
> y esto es verdad ¡vive Dios!
> y sólo porque no estaba
> hipocondríaca, siendo
> la enfermedad que se usaba.

*In El médico de su honra* (Act III) Coquín remarks:

> Es una enfermedad que no la había
> habrá dos años, ni en el mundo era.
> Usóse poco ha, y de manera
> (lo que se usa, amiga, no se excusa)
> que una dama, sabiendo que se usa,
> le dijo a su galán muy triste un día:
> Tráigame un poco uced de hipocondría.

1454 Tailors were frequently satirized for their dishonesty and lying. They would ask for more cloth than was necessary to make an article of clothing. Calabazas, a *gracioso*, gives an imaginary conversation with a tailor in *Casa con dos puertas* in *Three Plays by Calderón* (ed. Northup; Boston: Heath, 1926), pp. 64–66:

> —Señor maestro, ¿cuántas varas
> de paño son menester
> para mí? —Siete y tres cuartas.
> —Con seis y media le hace
> Quiñones. —Pues que le haga;
> mas si él saliere cumplido,
> yo me pelaré las barbas.

In Act III of *La estrella de Sevilla* Clarindo the *gracioso* in his visit to Hell saw "más de mil sastres mintiendo."

For allusions to tailors in Lope see Ricardo del Arco y Garay, *La sociedad española en las obras dramáticas de Lope de Vega* (Madrid, 1941), p. 776.

Cf. *Santo y sastre* by Tirso.

1539–42 Spanish haughtiness and braggadocio was proverbial long before this time especially among the military. The boasting, bragging Spanish *capitano* was much caricatured in the Italian *commedia dell' arte*. For his appearance in the early Spanish drama see J. P. W. Crawford "The Braggart Soldier and the *Rufián* in the Spanish Drama of the Sixteenth Century," *Rom. Rev.*, II (1911), 186–208.

1545 Another example of a split word to indicate surprise is found in *El alcalde de Zalamea* (I.xvii):

> DON LOPE. Denle dos tratos de cuerda.
> REBOLLEDO. ¿Tra-qué me han de dar, señor?

1575–78 One is reminded of the incident in which Lázaro, selling water for a chaplain, has made so much money that "ahorré para me vestir muy honradamente de la ropa vieja. De la cual compré un jubón de fustán viejo . . . . Desque me vi en hábito de bien . . . . "—"Tratado Sexto" of *La vida de Lazarillo de Tormes y de sus fortunas y adversidades* (ed. Hesse and Williams; Madison, Wis.: University of Wisconsin Press, 1948), p. 54.

1589–90 See commentary on v. 612.

1594–95 In the *comedia* Norway represents darkness (long winter) and the home of falcons.

1597 *te aparta* = *apártate*. The use of an object pronoun before the imperative is common in the *comedia* and occurs again in vv. 1898, 2479, and 3411.

1644–49 An allusion to the popular superstition that a broken mirror brings seven years of hard luck.

1668–69 The allusion is to Mariene's pictures, one of which was in Octavian's hand and the other over the door.

1672–73 Calderón often interrupts a character on the point of making important declarations or explanations for the purpose of creating suspense. Cf. vv. 1924–26, 2112.

1683 This concept is also found in the interpolated novel of *El curioso impertinente* in the Rodríguez Marín edition of *Don Quijote*, III, 182–83: "los buenos amigos han de probar a sus amigos y valerse dellos, como dijo un poeta, *usque ad aras;* que quiso decir que no se habían de valer de su amistad en cosas que fuesen contra Dios."

1717–22 A form of stichomythia or dovetailed conversation of which Calderón was so fond.

1725–29 Cf. vv. 1277–78.

1738–40 See commentary on v. 351.

1742–43 See commentary on v. 1447.

1744–45 See commentary on vv. 485–88; the *esposo-galán* concept occurs again in vv. 1920, 2838.

1750 Herod's hesitation to use the word *çelos* is characteristic of his vacillation. Cf. vv. 75–76.

1751 More on the power of imagination is found in *La devoción de la cruz* (Act I):

> Ya me había prevenido
> por sus mentirosas cartas
> esta desdicha, diciendo
> que, cuando me fuí, quedaba
> con sospecha; y yo la tuve
> de mi deshonra tan clara,
> que discurriendo en mi agravio,
> *imaginé* mi desgracia.
> No digo que verdad sea:
> pero quien nobleza trata,
> no ha de aguardar a creer
> que el *imaginar* le basta.

Cf. also Calderón's play *Gustos y disgustos no son más que imaginación.*

1797–1805 The reader will, no doubt, recall what happened in Cervantes' *El celoso extremeño* and *El curioso impertinente* to a man who married an extremely beautiful woman.

1804 In the Rodríguez Marín *Quijote*, III, 192–93, there is an allusion to the ermine: "Cuentan los naturales que el arminio es un animalejo que tiene una piel blanquísima, y que cuando quieren cazarle los cazadores, usan deste artificio: que, sabiendo las partes por donde suele pasar y acudir, las atajan con lodo, y después, ojeándole, le encaminan hacia aquel lugar, y así como el arminio llega al lodo, se está quedo y se deja prender y cautivar, a trueco de no pasar por el cieno y perder y ensuciar su blancura, que la estima en más que la libertad y la vida. La honesta y casta mujer es arminio, y es más que nieve blanca y limpia la virtud de la honestidad . . . ."

1812–13 For singular verbs with plural subjects see Bello-Cuervo, *Gramática*, Paragraph 824.

1817–21 More Stoic philosophy. See commentary on v. 449.

1823 See commentary on v. 1019.

1838–39 Another paradox. Cf. Santa Teresa's "Que muero porque no muero."

1848–49 See commentary on v. 147.

1868–76 The attributes of *çelos* have been well summarized in several of Calderón's plays:

> Mas bien se deja ver que éstos son çelos,
> porque una ardiente rabia
> que el sentimiento agravia,
> una rabiosa ira
> que la razón admira,
> un compuesto veneno
> de que el pecho está lleno,
> una templada furia
> que el corazón injuria,
> ¿qué áspid, qué monstruo, qué animal, qué fiera
> fuera ¡ay Dios! que no fuera
> compuesta de tan varios desconsuelos,
> la hidra de los çelos?
> Pues ellos solos son a quien los mira
> furia, rabia, veneno, injuria y ira.
>
> (*Casa con dos puertas, mala es de guardar*, Act I)

> Disimularé, si puedo,
> esta desdicha, esta pena,
> este rigor, este agravio,
> este dolor, esta ofensa,
> este asombro, este delirio,
> este cuidado, esta afrenta,
> estos çelos... ¿çelos, dije?
> ¡Qué mal hice! Vuelva, vuelva
> al pecho, la voz. Mas, no,
> que si es ponzoña que engendra
> mi pecho, si no me dió
> la muerte (¡ay de mí) al verterla,
> al volverla a mí podrá;

que de la víbora cuentan,
que la mata su ponzoña,
si fuera de sí la encuentra.
¿Çelos dije? ¿Çelos dije?
Pues basta; que cuando llega
un marido a saber que hay
çelos, faltará la ciencia.

(*El médico de su honra*, II. xvi)

...¿qué son çelos?
Átomos, ilusiones y desvelos,
no más que de una esclava, una criada,
por sombra imaginada,
con hechos inhumanos
a pedazos sacara con mis manos
el corazón, y luego
envuelto en sangre, desatado en fuego,
el corazón comiera
a bocados, la sangre me bebiera,
el alma le sacara,
y el alma ¡vive Dios! despedazara,
si capaz de dolor el alma fuera.

(*El médico de su honra*, II. xix)

The passion of jealousy is compared with the sting of an asp (v. 2212), with a chamaleon, basilisk and siren in a sonnet (vv. 3065–78).

1898 See commentary on v. 1597.

1920–23 This concept is found frequently in Calderón's cape and sword plays.

1924–26 See commentary on v. 1672.

1960 Gongoristic for the sea. Cf. v. 245.

1962–64 A gongoristic reference to the foam and churned-up sea.

2019 This concept of the stars as the flowers of heaven is of frequent occurrence in Calderón. Cf. *La vida es sueño*, vv. 1603–11 in Northup's edition, *Three Plays by Calderón*. See commentary on v. 20. This concept is found also in *El príncipe constante*.

2031 Calderón has a play entitled *Amado y aborrecido*.

2042 For the use of the forms *os* and *vos* see Robert K. Spaulding, *How Spanish Grew* (Berkeley and Los Angeles, Calif., 1943). Note how Filipo has been using the formal forms *os* and *vos* and then after he has put Tolomeo to the test he changes to the familiar *tú* in v. 2087. Tolomeo, realizing that the masked one must be a friend of the Tetrarch's since he brought the letter, addresses him with the *tú* form in v. 2071.

2071 *Trais*, popular for *traes*.

2072 *Rejalgar*, realgar (an orange-red mineral formerly used as a pigment); also a synonym for arsenic.

2112 See commentary on vv. 1672–73.

2116 *Hacer la desecha*, to dissemble. Possible word play here. It also means *despedida cortés; la mudanza que se hace con el pie contrario; la salida precisa de algún camino*.

2204 This line is short in both MSS. Text D has been used as the MS version does not make sense. The latter reads:

> TOLOMEO. Adbierte.
> LIBIA. Tú desatento...
> TOLOMEO. Sí.

2211–12 See commentary on vv. 685–86.

2213–25 To quarrel before royalty and in the palace was a violation of the honor code. See Northup, *Three Plays by Calderón*, p. xviii.

2229–31 An allusion to the popular superstition that a snake once divided in half can still bite and at both ends. Milton, too, believed and wrote about the snake using a tail-end stinger, as did Chaucer; while in the Bible, both the tongue and tail end of the snake are referred to as having the power to sting. See Claudia de Lys, *A Treasury of American Superstitions* (New York, 1948), pp. 78–79.

2328 Semíramis was the legendary queen of Assyria noted for her administrative and military ability in the twelfth century B. C. She founded the city of Babylon, fortified and embellished it. She reigned 42 years and conquered parts of Asia. Here the meaning is "queen of the waves." She will put so many ships on the sea that they will churn up the waters.

2340–51 See commentary on v. 149.

2352 A quotation of another title by which this play was known. Quoted again in v. 2358. See commentary on v. 144.

2354 See commentary on vv. 112, 146.

2368 *Sirtes*, hidden rocks. *Esçilas*, Scylla, once a beautiful maiden changed by Circe into a monster with six heads. Cf. Homer's *Odyssey* xii. 73, 235, 430.

2372 Aeolus was the god of the winds.

2373 Tethys was a female titan, wife of Oceanus and mother of the Oceanides.

2380 The *sé quién soy* motif is of frequent occurrence in Calderón's plays. Leo Spitzer has treated the theme in *NRFH*, I (1947), 113–27, and II (1948), 275. See also Bruce W. Wardropper, "The Unconscious Mind in Calderón's *El pintor de su deshonra*," *Hisp. Rev.*, XVIII (1950), p. 290 and note 11.

2385 See commentary on v. 516.
2419 Cf. Tirso's *La prudencia en la mujer.*

ACT III

2431–33 Similar lines occur in *El gran príncipe de Fez* (I. xiv):

UNOS. Ciñan su augusta frente.
MÚSICOS *(Dentro). Ciñan su augusta frente.*
UNOS. Sacro el laurel, pacífica la oliva.
*Músicos (Dentro). Sacro el laurel, pacífica la oliva.*

2446 See commentary on v. 72.
2462 See commentary on v. 1019.
2464 On the Force of Destiny see the remarks in the introduction, pp. 27–28. Cf. also the following lines from *La vida es sueño* (III. xiii. 3085–87):

pues no hay seguro camino
a la fuerza del destino
y a la inclemencia del hado.

2466 See commentary on v. 64.
2479 On *le sacad* see commentary on v. 1597.
2484 See commentary on vv. 514+, 1284+.
2501 The choruses which are about to enter give the play something of the atmosphere of the Greek tragedy. See Alan Reynolds Thompson, *The Anatomy of Drama* (2nd ed.; Berkeley and Los Angeles: University of California Press, 1946), pp. 242–43.
2511–13 More Stoic philosophy. See commentary on vv. 449–51. Cf. also vv. 1817–21.
2532 On the monarch's duty to listen to complaints see *Don Quijote* (Rodríguez Marín edition), V, 114: "que uno de los mayores trabajos que los reyes tienen, entre otros muchos, es el estar obligados a escuchar a todos, y a responder a todos; y así, no querría yo que cosas mías le diesen pesadumbre."
2564–65 In spite of the seriousness of the Tetrarch's speech, Calderón cannot refrain from a paronomasia. Such *retruécanos*, however, were not considered funny. They were more in the nature of rhetorical embellishments.
2592 According to an old legend, a lion will not cross a line of blood to attack.
2598 ff. Note the cogent arguments advanced by Mariene to persuade Octavian to release her husband,
2604 An hyperbaton. The *el* goes with *heroyco asiento.*
2659 Venus was the goddess of love and beauty, lover of Mars, and mother of Cupid. Some idea of the popularity of mythological

characters in the seventeenth century may be derived from the art of the period. Velázquez has pictures of "Venus and Cupid," "Mars," etc. See *Velázquez* (ed. Enrique Lafuente; Oxford and New York, 1943), *passim.*

2691 Concerning the phoenix see commentary on v. 912.

2722 Astolfo, a suitor of Libia. Mentioned again in vv. 2824, 3113, 3151, 3185.

2750 Ricardo del Arco y Garay, *La sociedad española en las obras dramáticas de Lope de Vega*, p. 621b says that negro slaves "gozaban de muy poca estimación. De diversos pasajes de Lope deducimos (otros autores lo comprueban) que para castigarlos eran azotados primeramente, y sobre las heridas abiertas por los azotes se derretía tocino al calor de un hacha. Este acto infame se llamaba *pringar.*"

2779 *Pino de oro.* A kind of adornment formerly used by women in their coiffure.

2790 The *pregonero* cried out the offense of criminals before punishment was meted out. It will be recalled that in the "Tratado Séptimo" Lazarillo had the job of *pregonero* and among other things had to "acompañar los que padecen persecuciones por justicia y declarar a voces sus delitos . . . ."—Hesse and Williams edition of *Lazarillo de Tormes*, p. 55.

2810 The line is long by one syllable.

2896–97 The *cristalino globo* is the sea.

2915 *Judá*, one of the two kingdoms formed in Judea after the death of Solomon when the other ten tribes seceded (I Kings 12 : 16–20). It lasted from 930–586 B. C. and was destroyed by Nebuchar.

*ascalonita*, a native of Ascalón, a city of Palestine.

2919 *idumeo*, Idumean. See commentary on v. 38.

2928 The meaning seems to be that the insult is a reproach to our ancestry (i.e., unworthy conduct).

2930–34 An allusion to the beheading of the Innocents. A similar allusion to the cruelty of Herod is found in *La prudencia en la mujer* (I.ix), when the boy-king, Fernando, remarks:

> Hanme quitado
> mi reino, y no me han dejado
> aun la cuna en que nací;
> y como a Herodes temí,
> vengo huyendo al despoblado.

2937–63 Calderón is fond of using beasts and birds in his metaphors. In the first of Segismundo's two famous soliloquies in *La vida es sueño*, (Northup ed., vv. 103–72) Calderón uses *pez*, *bruto*, and *ave.*

2987 See commentary on v. 2031.

3066 *Camaleón*, chameleon, a variety of lizard which has the power of changing color. Its tongue is so agile that it can scarcely be seen as it is thrust out to envelope insects and rapidly brought into the mouth. Hence the popular belief that it feeds on the air.

3069–70 See commentary on v. 938 concerning the basilisk.

3073 An allusion to the sea nymphs, represented in art as half woman and half bird, said to inhabit an island off the coast of Italy and to lure sailors to destruction by their beauty and sweet singing.

3109 *abranda* = *ablanda*. When *l* is second in a group of consonants, it becomes *r*, a characteristic of Leonese dialect; see Menéndez Pidal, "El dialecto leonés," *Revista de archivos, bibliotecas y museos*, XIV (1906), 128–72, 294–311.

3126 *Fabonio*, western wind, zepher.

3252 *Sion*, Zion. In its narrowest sense a hill in Jerusalem, the royal residence of King David and his successors and the site of the temple; in its broadest sense the city of Jerusalem.

3308 *la saca*. See commentary on v. 1597.

3361 Apparently Dama 1ª is the Arminda listed in the dramatis personae.

3380 This philosopher has never been identified. It may have been Seneca. Calderón was fond of Seneca's paradoxes and another example is to be found in *La vida es sueño* (I.i.37–40):

> que tanto gusto había
> en quejarse, un filósofo decía,
> que, a trueco de quejarse,
> habían las desdichas de buscarse.

Cf. Roger l'Estrange, *Seneca's Morals by Way of Abstract* (London, 1711), p. 270: "Some, (I know) will have Grief to be only the Perverse Delight of a Restless Mind; and Sorrows and Pleasures to be near akin; and there are, I am Confident, that find Joy even in their Tears."

3384 It was conventional in literature to divert a person's sadness with a sad song. Cf. the *Celestina* (Act. I):

> CALISTO. *¿Cuál dolor puede ser tal*
> *que se iguale con mi mal?*
> SEMPRONIO. Destemplado está ese laúd.
> CALISTO. Cómo templará el destemplado . . . . Pero
> tañe y canta la más triste canción que sepas.

3391 ff. In A, B, and C Sirene sings the verses glossed from a ballad by the Comendador Escrivá, an obscure sixteenth—century poet:

Ven muerte tan escondida
que no te sienta venir,
porque el placer del morir
no me buelva a dar la vida.

These verses are found again in *Las manos blancas no ofenden* and in *Eco y Narciso*, and have been compared with the "Willow Song" of Desdemona in *Othello*.

3398 *Quien = que.*

3412 *me espera = espérame.* See commentary on v. 1597. The assonance of the romance in *u-o* is defective.

3473–76 More Stoic philosophy. See commentary on vv. 449–51.

In a hand other than that of the MS there is written to the left of the invocation "Calderon/la nueva." The invocation is underlined.

As the play was also known with the title *El mayor monstruo del mundo*, the scribe apparently started to write "del" which is crossed out but still legible.

Before the name of each character there is a small circle with a line through it. Following the name is a small cross. The names of the actors Prado and Vallejo are preceded by a circle. Prado, Vega, Mª de Prado are preceded by a cross. "Filipo, viejo" was apparently inserted after the entire *reparto* had been written, as it is crowded between Aristobolo and Tolomeo.

ACT I

5–22 Boxed off and in the left margin there are several curved lines. This passage may have been marked off for omission probably by a stage manager or actor.

23–24 Preceded by a cross. The line is written in the right margin in Calderón's hand.

154 Following this line three lines crossed out, boxed off, and marked "no" in both margins, illegible.

215 and 225 Preceded by a short curved line with a straight line below.

304+ Several words of the stage direction deleted, illegible.

323 Preceded by a small cross.

357–98 Boxed off and marked "no". Below the "no" is a "si" at vv. 359 and 381. Between these lines other lines are bracketed and boxed off as indicated below.

363–75 Boxed off and marked "no."

383–88 Boxed off.

395–98 Boxed off.

400–404 Boxed off.

424 Following this line two lines are crossed out and marked "no" in the left margin, illegible.

460 A word deleted at the beginning, illegible.

467 *Los presajios* has been rewritten above; the original is in another hand.

468 *premisas* rewritten above, the original in another hand.

491 *estremos* inserted later in another hand.

492 First word, *estremos*, deleted.

493 First word deleted, illegible.
496 First word, *muera*, deleted; *mi parcial* inserted later.
514+ A cross precedes the stage direction.
533 Preceded by a short curved line above a straight line.
576 A cross follows this line.
597 The last word of the line crossed out and *hiçiera* written in right margin.
616 Original line: *errado y muy culpado, yo. muy* and *yo* crossed out, *muy* written in left margin.
633 A cross in the left margin.
636 Original line crossed out: *nada pensando que buela.*
651 Original line crossed out: *pues a la cumbre mas suma.* Corrected line written in right margin. A cross in left margin.
688–92 Boxed off and marked "no" in left margin.
700 Last word *muerte* crossed out; *suerte* written in right margin.
748 Two short parallel lines appear in horizontal position before this line.
779 *me* crossed out and *le* written above.
803–16 Bracketed and marked "no."
807 Preceded by a short curved line above a straight one.
822 *delirios* crossed out and written above.
861 A *tachadura* at beginning, illegible.
869 Last word crossed out; *dictó* written in right margin.
896–97 Written in extreme right margin. A line and a cross indicate their position in the text.
901–22 Boxed off and marked "no" three times. "Si" follows each "no."
911 *aquella;* the last two letters are crossed out.
932 Following this line, nine lines are boxed off and crossed out to avoid repetition. The scribe himself, perhaps, caught his own error.

oye este ynfausto puñal
acerado basilisco
que siempre amenaza estragos
o biendo el o siendo visto
dejando aparte el cuydado
de la nueba a traido
Tolomeo porque solo
el tuyo bibe conmigo
es aquel que la dudosa.

1140 A drum crudely drawn appears in the right margin.
1170 A drum bearing the label "caja" is drawn in the left margin.

ACT II

1208+ A horizontal line is drawn across the folio. Below are some scrawls and the word *fin* [?].

A cross at the top of Folio 22 v.

In the middle of the right margin: "Hagase" and below there is a *rúbrica.*

A cross at the top of Folio 23 r.

1282 Two short parallel lines in horizontal position in left margin.

1283 Figure of a drum in left margin.

1284 A cross in left margin.

1316 A cross in left margin.

1367 *agora me* crossed out and *tan presto* written above.

1643 Figure of a drum in the right margin.

1672 Parallel lines and the figure of a drum in the left margin.

1705 This line appears to have been written in later.

1744 Preceded by a short curved line above a straight one.

1752 Preceded by a short curved line above a straight one.

1753 *Monarca* crossed out and replaced by *Tetrarca.*

1760, 1768, 1778, 1786, 1796, 1808, and 1822 Preceded by a short curved line above a straight one.

1835 Followed by a cross.

1840, 1860, 1880, 1886, and 1889 Preceded by a short curved line above a straight one.

1941 A cross in left margin.

1968 A cross in left margin.

1975 *Arist.* deleted from the left margin.

1989 A cross in left margin.

1990–2033 Boxed off and marked "no."

2009 Deleted after *falseada: tengo.*

2010 *para vosotros* deleted at end of line.

2182 *buelbo* is crossed out and *bengo* is written above it in another hand.

2218–25 Bracketed and marked "no."

2240 A word, *rompe,* deleted at beginning. Replaced by *deja* in left margin.

2266–75 Boxed off and marked "no" and "si."

2291 Preceded by a cross with two horizontal lines through the middle of it.

2326–51 Boxed off and marked "no."

2368–73 Boxed off and marked "no."

2382 Somebody started to bracket this line; "si" in left margin.

2388–2407 Bracketed. The "no" is crossed out three times and "si" written below each "no."

2404–7 Boxed off and marked "no."

2427 A horizontal line extends across the page. Below are two parallel lines drawn obliquely and the words *Fin de la Seg*[a] *Jornada.*

## ACT III

This act is written in Calderón's own hand. The MS. adds "Tolomeo y Filipo" at the end of the stage direction.

Their entrance seems to have been an afterthought. The handwriting does not appear to be Calderón's. Note their real entrance at vv. 2410–11.

2434 A cross in the left margin.

2475 Following this line, an entire line is deleted, illegible.

2480 In the left margin two parallel lines, a drum, and the word "musica" in another hand.

2490–2510 Boxed off and marked "no."

2511 *Filipo* crossed out before caption *Tolo.*

2518 A *tachadura,* illegible, followed by *a voçes.*

2541 *verle* has been written over the original text *verme.* *en su presençia* crossed out. The line following is crossed out and is illegible.

2547 The third word is crossed out, illegible, and *rigor* is written above it.

2580–87 Boxed off and marked "no" and "si."

2584 The third word is crossed out and *generoso* is written below.

2588, 2596, 2604, and 2612 Preceded by a scrawl.

2626 The last word is crossed out and is followed by *a estas oras.*

2668–69 *milagro* crossed out and *acaso* written above it.

2723 *quarto* deleted and *paso* written above it.

2742 *Aureliano* deleted and *Otabiano* written below it.

2751 *capon* deleted and *enano* written in right margin.

2784 First word deleted, illegible, and *si* written above it.

2790 First word deleted, illegible.

2816 Preceded by a cross.

2819 *quarto* deleted and *quadra* written above it.

2825 After *que* a *tachadura,* illegible, and *la cierre* written above it.

2829 First word, *fía,* deleted. Apparently Calderón started to write *fía* and then decided later to put it last rather than first.

2837 The mark # at end of line.

2847 In the right margin: *a sido afecto onoroso. y amor* crossed out and *onoroso* written above.

2848 In the right margin: *si de mis quejas porque.*

2850–51 Deleted, illegible.

2859–78 Boxed off and marked "no."

2867 Third word crossed out, illegible. *ynfeliz* written above it and later deleted. *ingrato* is written below the first *tachadura.*

2869 *que* before *el que* deleted.

2879 Original line deleted; first part, *tu vida pedi;* the rest is illegible.

2883 Original reading, *quien me matarame, fiero,* deleted.

2887 Preceded by a wavy mark.

2901 *el* deleted, *los* written above it.

2903 Preceded by a wavy mark.

2913 Preceded by a wavy mark.

2929 *quando* deleted, *pues* written above it.

2936–70 Bracketed and marked "no."

2936 Preceded by a wavy mark.

2947 Original reading deleted, *se despedaça sacando,* and corrected line written in right margin.

2953–58 Boxed off in the section bracketed (vv. 2936–70) and marked "no."

2959, 2971, and 2983 Preceded by a wavy mark.

3011–28 Boxed off, preceded by a wavy mark.

3034 Following this line, an entire line has been deleted, illegíble.

3035 *ser* crossed out, *dar* written above it.

3037 Several words deleted, illegible.

3065–78 Boxed off, four check marks in left margin.

3077 Deleted at beginning: *que* and another word, illegible.

3078 Deleted at beginning: *que no abia. que* near end deleted and above it is written *ayan de ser.*

3079 Preceded by a wavy mark.

3083 Word deleted at end, illegible.

3084 Deleted at end: *acuden a aquella.*

3084 Following this line an entire line is crossed out:

y hare mal si abiendo afuera.

3085 Original reading deleted: *aquesta puerta,* rest is illegible. The line following is crossed out:

El palaçio a aquella acuda.

3088 Original reading deleted, illegible. Corrected version in right margin. It also appears above the deletion in another hand.

3089 Original reading deleted, illegible. Corrected version appears above the deletion in another hand.

3092–94 Original reading deleted, illegible. Corrected version appears above in Calderón's hand.

3109 *de* deleted, *en* written above it; *dude* deleted, *abranda* written above it.

3114 *Libia* deleted and *Tetr.* written in left margin.

3115 *encerrarme* deleted and *a ocultarme* written above in another hand. After *detente* and before *aguarda* the following has been deleted:

LIB. que miro, como.

3118 *Lib.* deleted and *Tetr.* written to the left of it.

3130 A word deleted, illegible.

3133 Several words deleted at the beginning, illegible; rest of the line: *que pues.*

3134 Following this line three lines have been deleted, illegible.

3181–84 *Sale Tolomeo.* Seven lines assigned to Tolomeo have been crossed out and are illegible. They have been replaced by four lines written in another hand above the deletions.

3217 Deleted after *esposa: el papel*, rest is illegible.

3218 Several words deleted before *Tan*, illegible.

3223 A word deleted at beginning, illegible.

3229 Two words deleted at beginning, illegible.

3230 Deleted at beginning: *ampararme.*

3233 Deleted at beginning: *me obligan.*

3263 Preceded by a wavy mark.

3268 *aumento* deleted, *estado* written above it.

3271 Preceded by a wavy mark.

3272 A word deleted at beginning, illegible.

3315 Preceded by a wavy mark. Deleted at beginning: *por mi.*

3347 Deleted at beginning: *en fin. Por solo* in Calderón's hand in right margin.

3348 Deleted at beginning: *por.*

3355 Several words deleted at beginning: *Es mi suerte.*

3390 Original reading deleted: *conseguir eso mejor.* Line following crossed out:

*Canta: ven muerte tan escondida.*

3391 Original reading deleted: *que no la sienta venir.*

3392–99 Lined out, illegible. Corrected version written in right margin.

3421 Following this line, a line crossed out:

ven muerte tan escondida.

Above this *tachadura* is another line which has been deleted: *si te quisiere matar.*

3432 *vase* to the left of the other stage direction.

3442 *amaros* crossed out, *veros* written above it.

3445 Deleted at beginning: *esas raçones.*
3465 A word deleted, illegible; *los querpos* written above it.
3466 A word deleted, illegible; *las almas* written below it.
3514 *siempre este agudo* lined out and rewritten above.
3515–19 Lined out but legible. The stage direction is also lined out but legible. Only parts of vv. 3514 and 3518 are lined out.
3522–61 Lined out but legible.
3562–67 Written in right margin.
3568 Before this line about six lines have been deleted, illegible except for two or three words. They seem to be lines 3562–67.
3584–85 Repeated at top of Folio 70 r. and crossed out. The handwriting from here to the end of the play is not Calderón's.
3615–20 Boxed off, marked "si."
3629–32 Boxed off and crossed out.

---

Lines 3562–83 are repeated in a hand other than Calderón's on Folio 71 v., which seems to have been used as a kind of practice sheet. A vertical line runs the entire length of the folio.

Lines 3562–68 are repeated on Folio 72 r., which also seems to have served as a practice sheet.

# *Variants in the Printed Editions*

The following abbreviations have been used in listing the variants:

A *Segunda parte*, (Madrid, 1637).
B *Segunda parte*, second edition (Madrid, 1637).
C *Segunda parte*, third edition (Madrid, 1641).
D *Segunda parte*, Vera Tassis edition (Madrid, 1686).

Minor differences in punctuation, accentuation and capitalization between the *Parte* editions are not noted.

ABC have the following list of characters:

| | |
|---|---|
| El Tetrarca | Malacuca |
| Otaviano | Dos soldados |
| Aristobolo | Mariene |
| Filipo | Filene |
| Tolomeo | Libia |
| Capitan | Arminda |

In D the characters are listed thus:

| | |
|---|---|
| El Tetrarca | Polydoro gracioso |
| Otaviano | Mariene |
| Aristobolo | Syrene |
| Filipo | Libia |
| Tolomeo | Arminda |
| Un Capitan | Soldados, *y* musicos |

## ACT I

*Stage direction before line* 1: "Salen los musicos cantando, y el Tetrarca detras."] ABC; "Salen los musicos cantando y detras Mariene, Libia, Sirene y Filipo."] D.

5 Las aves, fuentes y flores] ABCD.

6 *Following this line, two lines are added in the* Parte *editions:* repitiendo por servirla/todos juntos de una vez] ABC;
repitiendo por servirla/al ayre una, y otra vez] D.

7 sea] AC.

9–12 *Omitted in* ABCD.

14 corred, corred, corred] ABCD.

17–18 flores: passo prevenid/vivid, vivid] ABCD.

19–24 *Omitted in* ABCD.
33 amada *for* querida] D.
35 tiñe] AC.
36 Monarca *for* Tetrarca] ABCD.
37–38 *Omitted in* ABCD.
39 como dan testimonio] ABCD.
42–43 porque los dos intentan, aunque en vano/ repartir el Imperio] ABCD.
43 repetir *for* conpetir] ABC.
46 y yo con cauto pecho, y doble estilo] ABCD.
50 porque después *for* a fin que después] ABCD.
51 tus *for* sus] AC.
53 pueda yo declararme] ABCD.
57 y ley de mi alvedrio] ABCD.
59 y en tanto, o cielo hermoso] ABCD.
63 no vives esta quinta] ABC; no habitas esta quinta] D.
64 cielo *for* abril] ABCD.
67 liberal *for* pródiga] ABCD.
72 a la aurora] D.
74 discursos *for* temores] ABCD.
76 deje *for* dije] AB.
82 su *for* el ]AC.
84 ay cielos *for* ay triste] ABCD.
86 deposito infeliz de mi desvelo] ABCD.
89 cristal *for* çafir] ABCD.
91 Menos entiendo aora yo, y mas dudo] ABCD.
94 muerte que ya con mis sentidos lucha] ABCD.
95 *Omits* yo] B.
97 muerte que ya con mis sentidos lucha] ABCD.
102 apresurar *for* adelantar] ABCD.
105 Este, pues, vigilante] ABCD.
108 oy los *for* los ya] ABCD.
109–10 a todos adelanta,/ tanta es la fuerza de su estudio, tanta ABCD.
112 quaderno *for* bolumen] ABCD.
114 un soplo inspira, y un aliento bebe] ABCD.
116 que amigo de *for* amiga de] AC.
118 porque viendo, que al orbe de la luna] ABCD.
119 empinas *for* elebas] ABCD.
120 el futuro previne contingente] ABCD.
122 y a los delirios de la fuente atento] ABC; y a los delirios de la suerte atento] D.
125–26 se desmaya, se cansa, y desfallece/ y aqui todo mi cuerpo se estremece] ABCD.

128 trofeo injusto yo que tirania] ABCD.
130 del mundo, halló tambien que daria muerte] ABCD.
134 mira, si tales penas, si pesares] ABCD.
136 que tengan mis discursos temeroso] ABC; que tengan mi discurso temeroso] D.
138 pues infaustos los dos con fin sangriento] ABCD.
142–43 de lo que mas amares en tu vida/ y yo siendo con llanto tan profundo] ABCD.
146 este *for* ese] B.
148 discursos *for* ynflujos] ABCD.
156 saber *for* atender] ABCD.
157 el *for* al] ABCD.
158 el *for* al] ABCD.
161–62 ya lo son, pues tu cuydado/ no puede averte oprimido] ABCD.
164 averlas *for* aberle] ABCD.
165 desvelo *for* reçelo] ABCD.
169–71 que llorar con desconsuelo,/ que por ymaginada o dicha o la desdicha,/ o la dicha] ABCD. *In v.* 169 *of* A, desconsuelo *is misspelled.*
172 ya es hazer cara en rigor] ABCD. *In* A rigor *is misspelled.*
174–75 que es esperar la desdicha/ con otro argumento yo] ABCD.
176 dolor *to* temor] ABCD.
180 le *for* la] ABC; no la estimaras, ni oyeras] D.
184 desdichas *for* desgracias] ABCD.
187 por ser *for* porque es] AC.
189 y si en argumento tal] ABCD.
190 no estas satisfecha, mira] ABCD.
191 otro, que al discurso admira] BD; otro, qual discurso admira] AC.
192 prevista *for* prebista] BD; predista] AC.
196 y aunque *for* y a que] ABCD.
201 aperciben] ABC.
204 cumplen *for* reciuen] ABCD.
206 si, si *for* sé si] AC.
207 ni si la vi, yo a tu si] ABC; ni si la vi, tu si] D.
220 muerte a otro que yo mas quiero] ABC.
221 y assi un Monstruo ver no espero] ABC; y a ti un monstruo ver no espero] D.
223 luego *for* como] ABCD.
227 te ha amenaçado] AC.
228 fines *for* riesgos] ABCD.
229 rigor *for* crueldad] ABCD.

232 temer al rigor atenta] ACD; tener al rigor atenta] B.
237 y que triunfar puedo dellas] ABCD.
237+ *No stage direction in* ABCD.
239 tente, señor *for* esposo yo] ABCD.
240 mi muerte, advierte] ABC.
248 del *for* en el] ABCD.
248+ *Stage direction:* "Dentro Tolomeo."] ABC; "Arroja el puñal al Mar y dentro dize Tolomeo."] D.
252 o *for* y] ABCD.
257 las ondas] ABC.
263 lo que *for* cúya] ABCD.
265 las entrañas *for* los cóncabos] ABCD.
266 los combates *for* los senos] ABC; los concabos *for* los senos] D.
266+ *Stage direction:* "Vase el Tetrarca, Filipo y Malacuca."] ABC; "Vase el Tetrarca, Filipo y los criados."] D.
267–304 *(Beginning after* Toda soy horror) *in* ABC:

LIB. El mar
es monumento inconstante
de misero, que rendido
entre sus espumas trae.
SIRE. Ya tu esposo el gran Tetrarca,
movido el vagel humano,
puerto ha tomado en la margen.
MAR. El puñal, que fue cometa
de dos esferas errantes,
harpon del arco del cielo,
clavado en un ombro trae.
LIB. Tolomeo es, ay de mi!
mas bastaba ser mi amante,
para ser tan infelize;
que prodigio tan notable!
que espectaculo tan triste!
MAR. Que assombro tan admirable!
vamos de aqui, que no tengo
animo para mirarle.

*Beginning at the same place in* D:

LIB. El Mar
es monumento inconstante
de un misero, que rendido
entre sus espumas trae.
SIR. Ya tu esposo el gran Tetrarca

con generosas piedades
movido, al baxel humano
ha dado puerto en la margen.
MAR. El puñal que fue cometa
de dos Esferas errantes,
harpon del arco del Cielo,
clavado en un ombro trae.
LIB. Tolomeo es (ay de mi!)
mas bastava ser mi amante,
para ser tan infelize:
que prodigio tan notable!
que espectaculo tan triste!
MAR. ¡Qué assombro tan admirable!
vamos de aqui, que no tengo
animo para mirarle.

304+ "Vanse."] ABC; "Vanse, Buelve a salir el Tetrarca, Filipo, y los criados que traen a Tolomeo con el puñal clavado." D.

305–6 ABCD *assign these lines to the Tetrarca.*

307–8 assi la mortal herida/ diera treguas a mis males] ABCD.

310 esse puñal no me saques] ABCD.

313 cielos *for* ados] ABCD.

321 Aquesso no, *for* Oye primero] ABCD.

333 al Piro *for* a Egito] AC.

337 que labró para él Cleopatra] AC.

338–409 ABC *In the following variation:*

de marfiles y corales.
A los principios fue nuestro,
fuerte pena! injusto trance!
la vitoria: pero quando
estuvo firme un instante?
Enojaronse las ondas,
y el mar Nembrot de los aires,
montes puso sobre montes,
ciudades sobre ciudades.
La armada del enemigo,
como estava azia la parte
del puerto abrigada en el,
quiso el cielo que se ampare.
Mas la nuestra dividida,
desecha, sin orden sale
a la campana del mar,
donde impelida mi nave,

cavallo fue desbocado,
que no ay freno que le pare.
Atormentada en efeto,
desmantelado el belamen,
los arboles destroncados,
enmarañados los cables;
y trayendo, finalmente,
arena, y agua por lastre.
A vista ya de las torres
de Jerusalen la grande,
fue ruina de un escollo;
y aqui una tabla a los aires
repetidos, fue Delfin
enseñado a sus piedades.
Quien creera que la fortuna
era un hombre que se vale
de la piedad de un fragmento,
pudiera hazer otro lance.
Yo lo afirmo, pues yo vi
de azero un cometa errante
contra este humano vagel
correr la esfera del aire.
Este pues que de mi vida
tassando esta los instantes.
Solo el dezir no permite,
que tu enemigo triunfante
queda en Egipto, y Antonio,

D *reads the same with the following exceptions: in line 4 read* fortuna *for* vitoria; *in line 28 read* en *for* de; *in line 33 read* en *for* era.

410 o rendido, o muerto yaze] ABCD.

415–16 *Omitted in* ABCD.

419 Dale] ABC.

421 su sepulcro] ABCD.

422–24 *In* ABCD *the following variation:*

pues tienen para labrarle
sangre, y azero, y podra
enternecer un diamante
que aun los diamantes se rinden
al azero, y a la sangre.

425 Ser un hombre desdichado] ABD.

427 y *for* mas] ABCD.

428–30 porque es estudio tan grande/ aqueste de las desdichas,/ que no le ha alcançado nadie.] ABCD.

432 de delante] ABCD.
436 que ya *for* ya que] ABCD.
437 prodigioso *for* sospechoso] ABCD.
445–48 *Omitted in* ABCD.
449–50 Ensancha el pecho, que en el/ cabran todos tus pesares] ABCD.
454 darle] ABC.
459–60 *Lacking in* ABCD.
461 a tu enemigo *for* ser su enemigo] ABCD.
467 prodigios] ABCD.
468 prenezes son admirables] ABCD.
473 no te rinde, que te rinde?] B; no te rinden, que te rinde?] ACD.
475 admirarlo] AC.
476 que mientras adivinares] ABC.
477–78 *Omitted in*] ABCD.
479–80 Todos mis intentos son/ entrar con ella triunfante] ABCD.
485 error del merito, un hombre] ABCD.
487–94 *Omitted in* ABCD.
496 el Cesar, Antonio falte] ABCD.
498 de un Polo a otro Polo mande] ABCD. *Following v. 499* ABCD *add two lines*: contra frias prevenciones/ oy los cielos me amenacen.
502 siempre con igual semblante] ABCD. *Following this line* ABCD *add two lines:* sino solamente el ver,/ que yo no he sido bastante.
503 a hacer] ABCD.
504 y ya] ABCD.
505 diras, y diranlo todos] ABCD.
506 espantes] ABCD.
509 que temo, advierte Filipo] ABCD.
511–14 *In* ABCD *the following variation:*

de la vida, y que llegando
de la muerte a essotra parte
ha de quedar en el mundo
por un prodigio admirable
de las fortunas de amor
a las futuras edades.

514+ "Salen soldados y Otaviano."] ABC; "Salen Otaviano y Soldados."] D.
515–22 *Omitted in* ABCD.
526 dueño] AC.

530 de que a todas se adelanta] ABCD.
531 sea triunfo] ABC.
533 *Omitted in* ABCD.
534–35 Presos a los dos procura/ llevar mi heroica ventura/ porque lidiados bizarro] ABCD.
537+ "Salen Malacuca, Aristobolo, y un capitan."] ABC; "Salen Polidoro, Aristobolo y un capitan."] D.
541 ni a Antonio] ABCD.
543 Solamente hemos hallado] ABCD.
544 a Aristobolo] ABCD.
545 en Jerusalen] ABCD.
546 assiste] ABCD.
547 este] ABCD.
547+ *Stage direction omitted in* ABCD.
548 Tu contrario fue, y ansi] ABCD.
550 tus] ABC.
552 hallado, llega] ABCD.
554 cielos, en engaño igual] ABCD.
555–57 No son notables errores;/ que otros vivan de traidores,/ y yo muera de leal?] ABCD.
559 *adds* "(aparte)."
561 disimula. Yo lo hare] ABCD. ABD *assign this speech to Malacuca.*
563 BD *assign this speech to Aristobolo.*
566 laminas *for* estatuas] ABCD.
567 intenté tomar *for* yntento borrar] AC; tomar *for* borrar] B.
568 no manches, no, riguroso] ABCD.
576 de ti, y tu hermano mostrarme] ABCD.
577–83 *Omitted in* ABCD.
583 Alçate del suelo, y pues] ABCD.
587 los *for* mis] ABCD.
591 nave] ABCD.
592 de la batalla salio] ABCD.
595 pues por mis discursos hallo] ABCD.
597 yo, que en dezirtelo hiziera] ABCD.
603+ "Entiende Otaviano que Polidoro es Aristobolo."] D.
607 su noche *for* la sombra] ABCD.
608 de su noche] ABCD.
610–11 sufre. Torre escura yo/ Llevalde. El demonio sin] ABCD.
613 que yo. Calla.] ABCD.
614 Baco *for* el çielo] ABCD.
615 yo, principe, muy errado] ABCD.
617 soy. Que teneis que esperar] ABCD.
618 el *omited*] ABCD.

621 ABCD *assign this speech to Malacuca.*
622 y *omitted*] ABCD.
625 Principe errado. Sigon *(sic)*] ABCD.
626 dezid, sin duda algun] ABC; dezia: sin duda, que algun] D.
628 Enfrena un poco el rigor] ABCD.
634 hallada] ABC.
641 aun *lacking*] D.
642 su *for* la] BD.
647 tantas desdichas] ABCD.
652 con alas tuyas subias] ABCD.
655 despojo *for* tu ruina] ABCD.
665 mismo *for* y solo] ABCD.
677 muerta a la que quiso bien] ABC; muerto a lo que quiso bien] D.
680 si a otro] ABC.
681 *Omit* a] ABC.
688 y él] ABCD.
691 esprimio] ABCD.
692 vertio] D.
696 a Aristobolo] ABCD.
697 hasta el sepulcro me entre] ABCD.
700 yazen, porque desta suerte] ABCD.
701 que *omitted*] ABCD.
705 pues por assombro tan fuerte] ABCD.
706 no ha de pasar mi vengança] ABCD.
707–10 *In* ABCD *the following variation:*

los umbrales de su muerte
ya triunfar dellos no espero
que yo solamente quiero
saber, que intento ha obligado.

711 al *for* el] ABCD.
712–13 para que sañudo, y fiero,/ te embiasse contra mi?] ABCD.
715–16 que es cuñado, no es error/ preguntarme, que es, señor.] ABCD.
717–22 *In* ABCD *the following variation:*

su intento, pues dice ansi
que lo que a esto le ha obligado,
es el verme de esta suerte;
pues solo me avra embiado
a que tu me des la muerte,
propia alhaja de un cuñado.

724–26 quieres; yo te la diré,/ pues con aquesta ocasion/ este cofre les quité] ABCD.

728 las que ay en el. Muestra a ver.] ABCD.
728+ *Stage direction missing*] ABCD.
729 cifra del mayor poder] B.
731 mas la pintada belleza] ABCD.
733 noble *for* rica] ABCD.
734 y la] D.
736 que es alma de la pintura] ABCD.
738–42 *Lacking*] ABCD.
743 mira el retrato fiel] ABCD.
743+ *Stage direction lacking*] AC.
747+ "Saca Otaviano del cofrecillo una carta, y ponese a leerla."] D. "Lee. En esta faccion esta el fin de mis deseos, pues no espero para declararme Emperador de Roma, sino que Otaviano rendido, o preso."] ABCD.
748 saber *for* esperar ] ABCD.
758 que *for* yo] ABCD.
758+ *Stage direction lacking*] ABCD.
760 Si ay. Di. Solamente digo] ABCD.
761 esperar castigo] ABCD.
762 dexas] ABCD.
762+ "Vanse."] ABCD.
767 al Tetrarca, que es mi intento] ABCD.
767+ *Stage direction lacking*] ABCD.
768–70 que como a Cesar me dé/ del tiempo que ha governado/ residencia, y tu porque] BCD. A *gives the same variation, omitting* me *in line* 768.
775 que ya liberal me des] ABCD.
782 ansi *for* pues] ABCD.
783–86 su quietud, essa pintura/ sombra ya de una escultura,/ ceniza de un rayo ardiente,/ es memoria solamente] ABCD.
788–93 *Lacking*] ABCD.
793 muger *for* beldad] ABCD.
794–95 Para que amor, ay/ sin esperanças la veo!] BCD. A *is the same, except that line 794 reads* ay de mi.
798–802 *Wanting*] ABCD.
806 vida mi libertad vivio segura] ABCD.
808 perfeccion *for* perficionó] ABC.
809 tanto sol *for* su esplendor] ABCD.
810 triunfo assi del amor, y la hermosura] ABCD.
816+ "Vase" *lacking*] ABC. "Sale Libia sola por una puerta."] ABCD.
821–27 a divertir mis pesares/ melancolica he salido,/ por no escuchar los agenos] ABCD.
835–82 *In* ABCD *the following variation:*

bastaba quererte bien,
para que (rigor impio!)
te sucediesse mal todo,
tropezando en tus peligros,
quando vitorioso (ay triste!)
te espera va el pecho mio,
dulce fin de tus amores,
muerto has llegado, y vencido?

SIR. Casta Venus destos montes,
si a divertir has venido
con la musica, y las flores [y *lacking in* ABC]
los ojos, y los oidos,
la atencion buelve, y la vista
a esse bruto cristalino,
pues son flores sus zelages,
y musica sus bramidos.

MAR. Nada puede para mi
servir, Sirene, de alivio.

In D only the following stage direction occurs after the first speech: "Salen por otra parte Mariene, y Sirene."

886 Ya con assombro le miro] ABCD.
889 vida *for* herida] ABC.
892–97 *Omitted*] ABCD.
902 y visos *for* pajiços] ABCD.
903 iluminados *for* tornasolados] ABCD.
904 tornasolados *for* y yluminados] ABCD.
905 va] ABCD.
908 ya luciente o ya marchito] ABC; ya luciente y ya marchito] D.
911 aquella] ABCD.
912–13 ave, que tuvo por nido/ y por sepulcro la llama] ABCD.
915 vagel de purpura, y oro] ABCD.
916 los remos *for* las alas] ABCD.
917 ansi yo, que a tantos rayos] ABCD.
918–19 *Wanting*] ABCD.
921 abrasada *for* a sus rayos] ABCD.
922+ "Vanse todos."] ABCD.
923 TETR.: Dexadnos solos ya pues] ABCD.
924–40 *In* ABCD *the following variation:*

que seran mudos testigos
de mis lagrimas, y vozes
estos mares, y estos riscos.
Salgan, Mariene hermosa, [B, hermosas]

afectos del pecho mio,
en lagrimas a las ondas,
y a las penas en suspiros. [A, peñas]
Este sangriento puñal,
sacre de azero bruñido,
que no con poca razon
sacre de azero le digo:
pues quando desembraçado [D, desenlazado]
de mi mano le despido,
con la presa buelve a ella,
de sangre y de horror temido.

*In the last line of this passage,* D *gives* en *for the first* de *and omits the second* de.

941 Duquesa *for* dudosa] ABC.
942 de un astro *for* del hado] ABCD.
946 peligrosos *for* acondiçionados] ABCD.
948 delirios *for* abisos] ABCD.
954–57 *In* ABCD *the following variation:*

que ya le temo, y le admiro;
y entre el miedo, y el valor
ya cobarde, ya atrevido,
sitiado dentro de mi.

959–60 porque aunque bien yo no creo/ los acasos prevenidos] ABCD.
964 vulgo de Astros, y designios] ABCD.
971 que debe el varon perfecto] D.
976 *Following this line* ABCD *add:*

Pues señor de las Estrellas
por leves de su albedrio,
previniendose a los riesgos,
puede hacer virtud del vicio.

977 dos afectos] ABCD.
980+ *Stage direction omitted*] ABCD.
983–84 la beldad que sola adoro/ la imagen que sola admiro] ABCD.
989 que el mayor monstruo del mundo] ABCD.
990 a *omitted*] AC.
994 ruina tuya, y blason mio] ABCD.
997 ser *for* açer] ABCD.
1000 esse hermoso basilisco] ABCD.
1001 en *for* a] ABCD.

1007 en *omitted*] ABC.
1012 he *for* a] ABCD.
1014 tu muerte *for* tus ados] ABCD.
1017 a pesar del hado *for* a pesar del tiempo] ABCD.
1019 nuestras vidas] ABCD.
1020 pendientes] ABCD.
1025 cercarse *for* al cortarle] ABC; si acercas *for* al cortarle] D.
1026 embotarte] AC. *Following this line* ABCD *add*:

Si es verdad, o si es mentira,
echado no lo averiguo, [D, el hado *for* echado]
mas prevengo los dos males,
pues prudente y advertido:
si es mentira la sospecha,
de que la temas te alivio,
si es verdad, con la razon
ha hazer la mentira aspiro. [D, hazerla]
Luego mentira, o verdad
para todo prevenido:
yo no puedo darte mas
que tu vida, essa te rindo.

1027 Este azero, y este amor] BCD.
1029 pues mientras yo te corono] ABCD.
1030 de mil laureles y arbitrios] ABC.
1034 huyete tu peligro] A; huyete de tu peligro] B; huyete tu tu peligro] C; huye tu de tu peligro]D.
1039–40 que este amor, y esse puñal/ triunfen de muerte, y olvido.] ABCD.
1040+ *Stage direction lacking*] ABCD.
1041 oye, señor, oye, espera] ABCD.
1045–49 *In* ABCD *the following variation:*

que de purpura manchado,
y entre flores escondido,
tanto me estremezco, tanto
en verle me atemorizo
que muda y elada creo,
torpe el labio, el pecho frio
que soy de aquestos jardines
estatua de marmol vivo.
Mas rompiendo a mi silencio.

1052–53 el temor los ha tenido;/ quiero declararme, y quiero] ABCD.
1058 executando] C.

1059 dexo a una parte, si es bien] ABCD.
1065 tambien] AB.
1066 en mi argumento prosigo] ABCD. *Following v. 1066* ABCD *add:*

sin tocar si es bien, o mal
tampoco averlo creido,
pues por verdad, o mentira,
ya tu en esta parte has dicho [D *omits* tu]
que el prevenirlo es cordura,
esperarlo, desatino,
y providencia discreta
no esperarlo, y prevenirlo.
Y assi, esto a parte dexando,
buelvo a mi argumento, y digo:

1067 sangriento puñal *for* tenplado veneno] ABCD.
1071 Tetrarca *for* señor] ABCD.
1077 ni *for* y] ABCD.
1079 suerte *for* vida] ABCD.
1080 con assombros, es arbitrio] ABCD.
1083 los dos, siguiendose siempre] ABCD.
1088 supremo *for* eminente] ABCD.
1089–97 *In* ABCD *the following variation:*

acompañarle del fuego,
fuera acierto conocido,
para escusar que un espejo,
no se quiebre junta a el mismo,
poner piedra en que tope [D, encuentre]

1100 que nunca estén divididos] ABCD.
1102 y han de ser siempre enemigos] ABCD.
1104–5 seguridad, y peligro/ vida, muerte, y impiedad] ABCD.
1106 Sol *for* luz] ABC. *Following line 1106* ABCD *add:* homicidio, y homicidia,/ torre, y fuego, piedra, y vidrio.
1110 quando *for* pues ya] D.
1118 ignore *for* dude] ACD.
1120–21 sepa que viene conmigo;/ ay un medio, que es, ponerle] ABCD.
1123 que le sepa] ABCD.
1123+ *Stage direction lacking* ABCD.
1124 traer *for* tener] ABCD.
1126 el Magico no me dixo] ABCD.
1127 que dudarias la muerte] ABC; que tu darias la muerte] D.
1130 moriria] ABC.

1131 que otro podra aborrecer] ABCD.
1133 fuera] ABCD.
1137 Y assi] ABCD.
1138 señor *for* mi bien] ABCD.
1143 que *for* Y] ABCD.
1144 el *for* otro] ABCD.
1147 quieres] ABCD.
1151 de tu amor, y al mismo instante] ABCD.
1154 mi seguridad te pido] ABCD.
1155 temores *for* sospechas] ABCD.
1158 contentos] ABCD.
1160 esperanzas] ABCD.
1161–64 *In* ABC *the following variation:*

quando tu amor, y mi vida
te infunde muerte, y olvido.
Tanto tu vida deseo
que a ser tu Alcaide me obligo.

*This passage is the same in* D, *with the exception of line 1162 which reads as follows:* triunfen de muerte, y olvido.

1165 y *omitted*] ABCD.
1167 para que nunca murieras] ABCD.
1169 en tu nombre Irene hermosa] ABC; en tu nombre, dulce esposa] D.
1170 le *omitted*] AB.
1170+ *Stage direction:* "Caxas."] ABC; "Dentro caxas."] D.
1171–1208 *In* ABCD *the following variation:*

Pero valganme los cielos!
que alboroto, que ruido
es este?
MAR. El cielo parece que se
hunde de sus quicios.
TET. Que assombro!
MAR. Que confusion!

*Sale* FILIPO.] ABC.
*Salen por distintas puertas* FILIPO, *y* LIBIA.] D.

FIL. Señor.
PRIN. Señora.
TET. Filipo, que es esto?
MAR. Que es esto, Libia?
LIB. No se si sabre decirlo.
FIL. Gente del Emperador,

Otaviano tu enemigo
a Jerusalen ocupa,
y ya todos sus vecinos,
sabiendo que Antonio es muerto,
parciales, y divididos,
te buscan para prenderte,
diziendo a vozes, que has sido
la causa de sus traiciones.

MAR. Ay de mi!
TET. Pierdo el sentido.
MAR. Huye, señor, esse monte
sea tu sagrado asilo;
porque mejor las desdichas
se vencen en los principios.
TET. Que es huir, viven los cielos,
que tengo de recibirlos.
MAR. Mira, señor.
TET. Que he de ver?
MAR. Que es un vulgo.
TET. Yo lo miro.
MAR. Alborotada.
TET. Que importa?
MAR. Tu vida.
TET. Mi vida libro.
MAR. Como?
TET. Poniendome.
MAR. Donde?
TET. Delante del.
MAR. Es desvario? [D, delirio]
TET. No es.
MAR. Por que?
TET. Porque con verme
veras que su orgullo rindo. *(Tocan.*] ABC.
*(Buelven a tocar.*] D.
TET. A Dios, que ya [D, A Dios, esposa, que ya]
segunda vez dan aviso
las caxas.
MAR. Tente.
TET. Que temes?
MAR. Temo, señor, tu peligro
que vas solo.
TET. No voy tal,
tu vas, señora, conmigo,
y este azero que resvala, [D, basta]

si es de la muerte ministro [A *omits* es]
a dar assombros al mundo,
a dar al cielo prodigios.

*In* D *the last two lines of this passage read as follows:* ser assombro del mundo/ a ser rayo, a ser prodigio.

1208+ *The aprobaciones are all lacking*] ABCD.

ACT II

ABCD *omit the invocation.*

*Stage direction before line 1209:* "Salen dos soldados con un retrato grande de Mariene."] ABC; "Correse una cortina, y veese a un lado del Teatro un Soldado, como sustentando de la parte de abaxo un retrato entero de Mariene; y de la parte de arriba avra otro Soldado, como que le esta colgando sobre una puerta que abra en el vestuario."] D.

1209–65 ABC.

SOLD. 1. Pongamos Licio el retrato
sobre el marco desta puerta;
porque quando entre y salga;
el Emperador le vea.

SOLD. 2. Que el mas perfeto de quantos
de la lamina pequeña
se ha copiado, el Liste, ponle
presto, que pienso que llega
con la prisa que me das,
no se si bien puesto queda.

*Pongale colgado sobre una puerta, y sale* OTAVIANO.

OTA. Mal se rinde una passion,
mal se vence una tristeza,
que tantos triunfos, que tantos
laureles parte no sean
a echar de mi una memoria
tan impossible, y tan necia!

SOLD. 1. Como mandaste, señor,
hize luego se hizieran
deste pequeño retrato
mil copias, mas solo esta
ha salido parecida.

OTA. Perfeta está, no pudiera
averla mejor copiado,
quando ingenioso corriera
los rasgos y los bosquejos

al lienço desde la idea,
que nunca me ayais sabido,
o con maña, o con cautela
de Aristobolo, quien fue
alma desta sombra muerta?

Sold. 1. Con esse intento mil vezes
a la torre que le encierra
entre, pero nunca pude [B, puede]
saberlo, que de manera
Aristobolo ha perdido
el juizio, desde que en ella
esta, que es en vano ya,
que hable en razon, ni de veras.

Ota. Que dizes?

Sold. 1. Que todo el dia,
desatinos dize y piensa
solamente.

Ota. No me espanto,

1268–70 el perder esta belleza,/ como es compatible, di,/ que oy nu mismo efeto sientan] ABC.
1271 uno *for* el uno] ABC.
1275 culpe a Antonio, que adorara] A; a Antonio] BCD.
1276 a *omitted*] ABC.
1282 imstrumentos] ABC.
1283 con *for* como] ABC.
1284 este] ABC.
1284+ "Dentro tocan caxas destempladas."] D.
1285–86 *In* ABC *the following variation:*

Mas valgame el cielo! quando [BC *omit* mas]
repito con tal tristeza.

1287+ "Tocan caxas destempladas."] ABC.
1290–91 *Omitted*] ABC.
1293–96 *In* ABC *the following variation:*

que muerta veldad, piadosos
confusamente celebran
desta difunta hermosura
las honras, y las exequias.

1295 de essa] D.
1296+ "Tocan."] ABC; "Buelven las caxas."] D.
1297–98 Otra vez Dioses divinos/ destempladamente suenan] ABC.

1298+ "Un capitan."] ABC.
1299 CAP. Señor. OTA. Que es aquesso?] AB.
1300 Espantome que las señas.] ABC, *which also assign this speech to the Capitan.*
1306–7 en Egipto sale, o entra./ Quien entra, o sale rendido] ABC.
1306 y *for* o] D.
1308 *Omitted*] ABC.
1308+ "Sale el Capitan."] D. ABC *omit stage direction.*
1309 El Tetrarca que govierna] ABC.
1310–32 *In* ABC *the following variation:*

a Jerusalen. Git. Mas precio
ver postrada essa soberbia,
que el triunfo que Egipto, y Roma
a mis vitorias celebra,
entre el solo, y los demas,
queden Patricio alla fuera,
que por si acaso mi enojo
tras si mis acciones lleva,
no quiero que nadie airado
con un rendido me vea,
templad vos, pues sois mi espejo
mi colera? Cap. Alli esta, llega.

*Entra el* TETRARCA *y sientase.*

OTA. Aqui es menester valor,
TET. Aqui es menester paciencia.

1317+ "Buelven a tocar las caxas destempladas, y sale el Tetrarca, y algunos Soldados."] D.
1327+ "Mira Otaviano al retrato que tendra en la mano, y vanse los Soldados."] D.
1340–41 por mi, y el que hazer intenta/ por fuerza lo que por gusto] ABC.
1342 pudo] ABC.
1343 a *omitted*] B.
1344 se añade] ABC.
1344+ Otaviano *for* otra *and* a *omitted after* mira] D. *Stage direction lacking in* ABC.
1345 tus manos] ABC.
1346 que es esto! que miro en ella?] ABC.
1347–51 *Omitted*] ABC.
1351+ "Buelve Otaviano la espalda, y el Tetrarca le sigue de rodillas."] D.

1352–64 *In* ABC *the following variation:*

OTA. Si yo de agenos afectos,
o Tetrarca no estuviera
informado, a tus razones
bastante credito diera;
pero si son destempladas
clausulas, que en ti dissuenan
esta presente humildad,
con la passada soberbia,
no violencia, no rigor,
la prevencion te parezca,
que con vassallos que son,
de los que viva quien venza
es fuerza que contra ellos
me aproveche de la fuerza.

1365 cielos *for* dioses] ABC.
1367 que agora me la ocultase] ABCD.
1368 aconsejas] ABC.
1370 informado *for* adbertido] ABC.
1371 estremos de ti, de ti] ABC.
1372 las traiciones *for* la ambiçión] ABC.
1373–76 *Omitted*] ABC.
1376+ *Stage direction omitted*] ABCD.
1377 convençe] B.
1378 dellas lo se pues con ellas] ABC.
1379–1400 *In* ABC *the following variation:*

pretendi a Aristobolo, a quien [B, prendi]
de aqueste Palacio cierra [B, encierra]
una torre, tuyas son,
miralas.
TET. Ya miro al vellas
mi muerte.
OTA. Tu turbacion
acredita mis sospechas? [B, acreditan]
TET. Y tu indignacion las mias.
OTA. Es presuncion, o evidencia?
TET. Evidencia y presuncion.
OTA. Pues quando todo lo sean,
yo soy Otaviano, yo
soy el que en Egipto llega
a triunfar de Marco Antonio,
esse Gigante de piedra,

que el azul dosel del cielo
le abolla, sino le quiebra
urna, es breve a sus cenizas,
no mi valor, no mi fuerça
le dio muerte el temor, si,
de averme hecho competencia;
yo le venci, yo triunfé
del, yo soy, invicto Cesar
de Roma, el Tiber, y el Nilo
humildes mis plantas besan,
yo soy tu Rey, y tu dueño;
por mi Tetrarca goviernas,
estrella eres de mi Sol,
aunque aborrecida estrella:
y assi quantos contra mi,
con traiciones, con cautelas
quieran aspirar negando
a mi poder la obediencia,
haré quien quantos Dioses
essas azules esferas
assisten, que de laurel
se coronen, porque sean.

1389 el *for* tu] D.
1393 y *for* que] D.
1400 de *for* del] D.
1404 el *for* mi; la *for* su] ABC.
1404+ "Va poco a poco a la parte donde esta el Tetrarca."] ABC; "Vase Otaviano azia la puerta del retrato."] D.
1406 aquesto *for* aquello] D.
1407 que el valor] AC; que valor] B; que el dolor] D.
1409 o a sus manos, o a mis zelos] ABC.
1410 manos *for* çelos] ABC.
1411–16 *In* ABC *the following variation:*

y a mis zelos,
*Cae el retrato, y sale* OTAVIANO.] AC.
*Saca el puñal. Cae el retrato, y sale* OTAVIANO.] B.
OTAV. Que es aquesto?
TET. Es un agravio, una ofensa,
un rencor, una desdicha,
un delirio, una violencia.

1413+ "Al entrarse Otaviano, va a herirle el Tetrarca por detras, cae el retrato en medio de los dos, clava el puñal en el, y buelve Otaviano."] D; *stage direction omitted*] ABC.

1421 Turbado tu, yo seguro] D.

1424–39 *In* ABC *the following variation:*

y ella de piedad, tu muerta
la color, yo vivo el riesgo,
y ella la deidad sujeta,
no se, no se como pueda
dexar de vengar mi ofensa,
por ti, por ella, y por mi,
pues si en mi vida te vengas,
me ofendes, y si en la suya
tambien, luego ya a mi cuenta
corre el tomar la venganza,
o por mi, o por ti, o por ella.

TET. Es tan noble mi dolor,
que aunque disculpar pudiera
tu furia por no dexar
de averlo hecho, no lo hiziera
por ti, por ella, y por mi,
por ti, porque quando intentas
mis agravios, cara a cara
tambien mis venganzas veas
por ella, porque no piense
de mi tan grande baxeza,
que vi dos retratos suyos,
y tuve al verlos paciencia
por mi, porque a mi dolor
oy me arrastra, oy me despeña
a hacer estremos zelosos,
que han de ser en la defensa
de Mariene un assombro:
luego el aver hecho, es fuerza
tan determinada accion,
o por ti, o por mi, o por ella.

OTA. Cielos, que es esto que escucho?
mayor confusion es esta,
Mariene es la luz viva
a quien yo adorava muerta,
engañóme aquel criado,
mudar el estilo es fuerza,
mal Tetrarca te disculpa
la piedad, o la nobleza
de tu dolor, pues sin causa
a tantos riesgos te empeñas

una belleza divina
por si sola se respeta,
sin que aya mas ocasion,
que ser divina belleza.

Tet. Con todo es mucho cuidado
tenerla en dos partes puesta,
pues como un hermoso espejo,
si esta entero representa
un rostro, y si esta quebrado
dos; pero de tal manera,
que se turba el uno al otro
assi a que te venza, y esse
la mina, si fueran uno,
fuera de su fama eterna
un cristal que retratara
sus divinas excelencias;
pero en dos partes, señor,
tengo por aguero el verla,
porque es espejo quebrado,
que pierde la luz primera,
y siempre dize desdichas
el espejo que se quiebra.

Ota. Por mi sagrado laurel,
que no supe cuyo era
el retrato de tus miedos,
bastante disculpa es esta,
assi, assi de mis agravios,
la tuya Tetrarca fuera,
para que no me obligara
a tu castigo mi ofensa,
pues es fuerza que este azero
que aqui horrores representa
sea, como fue instrumento
de tu atrevida violencia,
de mi piadosa venganza,
pues desde este pecho apela
a tu cuello, porque assi
el que me agravia me venga.

Tet. Ya aquesse castigo tarda,
quanto mi vida le espera.

Ota. Nunca tardan las desdichas,
presto vendra si lo es esta.

Tet. Plega al cielo, porque assi
se desdiga, y se desmienta

el hado de esse puñal.
OTA. Que hado?
TET. El que su temple encierra.
OTA. Que es?
TET. Que morira con el.
OTA. Quien?
TET. La cosa que el mas quiera.
OTA. Nadie a otro mas que a si quiso,
el cumplira su promessa,
ola, llevalde a la torre, *(Soldados.*
donde su hermano se encierra,
ella sera su sepulcro.

1432+ "Quita el puñal del retrato."] D.
1434+ "Sale el Capitan, y Soldados."] D.
1435 ola? Señor. A la torre] D.
1442+ "Llevanle los Soldados."] D; *omit the stage direction*] ABC.
1443–44 *In* ABC *the following variation:*

Y yo la mia, a un retrato
yo le pagaré la deuda. *(Soldados y Malacuca.*

1445–46 *Omitted*] ABC.
1446+ "Buelven a correr la cortina al retrato, y salen dos Soldados, y Polidoro passeandose."] D; *stage direction omitted*] ABC.
1448 ff. *Polidoro's speeches are assigned to Malacuca*] ABC.
1450 Pues que esto?] B.
1453+ "Sale el Tetrarca y el Capitan."] ABC.
1454–1737 *In* ABC *the following variation:*

TET. Donde Aristobolo está?
CAP. No es el que presente tienes?
TET. A burlas mis penas vienes
con nuevos tormentos ya,
tu en este traxe, que es esto?
MAL. Una cautela fingida,
que me ha de costar la vida.
TET. Quien a todos ha propuesto
engaño tan declarado,
que este no es mi hermano,
CAP. Pues
quien este Principe es?
TET. Es un loco su criado.
CAP. Pues como te has atrevido
a hazer este fingimiento?
MAL. Quien no tendra atrevimiento

de ser Principe fingido,
pues, y esto a ninguno assombre,
mas en qualquiera sucesso
vale ser Principe preso,
que picaro libre un hombre.

CAP. Tal engaño avias de hazer?

MAL. Si tan ofendido estas,
de ser Principe avra mas.

CAP. Que?

MAL. Que dexallo de ser.

CAP. Al Cesar conviene dar
nuevas al instante desto,
cerrad essas puertas presto,
y solo dexad entrar
un criado que mando
que en la prision assistiera
al Tetrarca, y considera
de que oy tu vida acabo.

MAL. No quiero considerallo,
porque no me ha de obligar
nadie a mi a considerar,
en nuevas dudas me hallo,
quien te hizo venir assi
a deshazer el Estado,
señor, de mi Principado,
pues era Principe aqui,
no le hiziera yo contigo.

TET. Esto es matar, y morir,
ay recado de escribir?

MAL. Si.

TET. Pues dexame conmigo?

MAL. Pluguiera al cielo pudiera
dexarte aqui tan dexado,
que dexara mi cuidado,
mas supuesto que alla fuera,
no puedo irme por un poco,
dentro avre de retirarme,
que no ay por donde escaparme,
sino me escapo por loco. *(Vase.]* AC.

*Sale* FILIPO.

FIL. Licencia, señor, de entrar
en la torre, que de guarda
tiene un criado, y de quantos

sombra de tu luz elada
te siguen, yo me prefiero,
porque a la lealtad agravia
al amigo de criado, [AC, el *for* al]
que no lo es hasta en las Aras. [AC *omit* en]

TET. Yo Filipo te confiesso,
que si algun consuelo en tantas
fortunas pudo seguirme,
fuiste tu, si es que en ti hallan
un alivio mis desdichas.

FIL. Humilde estoy a tus plantas.

TET. Haras por mi una fineza?

FIL. Doy a los Dioses palabra,
con juramento impossible
de romperla, y de quebrarla,
de dar la vida por ti.

TET. Pues menos, menos te encarga
mis sucessos, quanto va
de dar la vida, o quitarla.

FIL. Que dizes?

TET. Que aunque debiera
pedir consejo a tus canas,
fuerzas pido, a no consejo
en mi pena, oye; y sabrasla.

1464 perdiera] D.
1470 las guardas] D.
1506+ "Buelve el otro Soldado con escrivania"] D.
1510 ay papel?] D.
1525+ "Salen al paño el capitan, y el Tetrarca; y los Soldados buelven a ponerle a Polidoro capa, y sombrero, fingiendo que le sirven."] D.
1541 uso *for* vio] D.
1600 hallarse *for* toparse] D.
1672+ "Tocan dentro caxas."] D.
1709+ "Quiere el Tetrarca quitarle la espada."] D.
1730+ "a parte."] D.
1741–42 en mi sujeto se hallaran/ que soi epilogo breve] ABC.
1746 corono] D.
1749 rezelos *for* temores] ABC.
1751 ya el imaginarlos basta] ABC.
1753 Monarca *for* Tetrarca] D.
1756 oy pobre, rendido y triste] ABC.
1759 batidas] ABC.

1763 la *for* las] B.
1764 oy, de aquel funesto azero] ABC.
1765–67 que desdichas amenaza,/ ya vitorioso de mi,/ tengo un hilo a la garganta.] AB.
1769 en el *for* aquí] AC.
1770 sus prodigios, porque en mi] ABC.
1774 de aquel azero, pudiera] ABC.
1775 a mis desgracias *for* a la ygnorançia] ABC.
1777–78 tomo la suerte venganza./ Mas ay de mi! ay de mi!] ABC.
1779 a *omitted*] ABC.
1780 mi misma vida, porque] ABC; mi misma vida, supuesto] D.
1781 llena de colera, y rabia] ABC.
1783 y no porque muera paran] ABC.
1785 mas a la del morir passan] B.
1786–87 *Lacking*] AB.
1788–95 *In* ABC *the following variation:*

Otaviano, adora pues
a Mariene, pintada
en su aposento gentil,
dos vezes pues idolatra,
una vez a una beldad sin alma.

1797 y otras mil vezes mal aya] ABC.
1805 que con su riesgo se guarda] ABC.
1812–14 le han puesto en este cuidado,/ me ha puesto en esta mudanza/ el ser si, de Mariene] ABC.
1818–19 el peso no me fatiga,/ no me rinde, no me cansa] ABC.
1821 agraviar] B. *Following v. 1821* ABC *add four lines:*

esta es la causa por quien
me aborrece, esta es la causa
por quien ya esta de mi muerte
la sentencia declarada.

1822–24 yo viendo, pues, que a minutos/ cuenta mi vida la parca,/ viendo que a brazo partido] ABC.
1825 lóbrega *for* caduca] ABC.
1828 al fin] ABC.
1832 quando el sea, ay de mi triste!] ABC.
1833–34 *Lacking*] ABC.
1835 tálamo] ABC.
1841 mi vida] AC.
1842 mis sucessos *for* las desdichas] ABC.
1845 si ella los Eliseos passa] ABC.

1848 el vive por una estrella] ABC.
1857 en su oroscopo, y desgracia] ABC.
1865 el ver] ABC.
1866 ser Mariene despojo] ABC.
1873 quando] AB.
1875 ABC, que *for* pues] ABC.
1890–1901 *In* BC *the following variation:*

para Tolomeo ya
escrita venia esta carta,
esperando que viniese
ocasion en que embiarla,
del te fia solo, que el
te guardara las espaldas.

1903 gallarda *for* soberana] ABC.
1908 al instante] ABC.
1910–19 *In* ABC *the following variation:*

quien creera que ay en el mundo
una passion tan estraña,
que del amor al rigor,
de un estremo al otro passa,
pues el hombre que mas quiere,
mas adora, y idolatra,
por no tener aun despues
de muerto zelos por manda
dexa de su testamento.
Que muera lo que mas ama:
assi alivia sus desdichas,
assi sus iras descansa,
assi desmiente sus penas
assi desdize sus ansias,
assi mejora sus miedos,
assi sus sospechas mata,
assi finge sus temores:
y assi sus zelos engaña,
pues no ay marido, ni amante.

1922 que antes mas quisiera ver] ABC.
1924–25 Quien pudiera responderte;/ pero no puedo que baxa] ABC.
1927–31 TET. Pues sal tu della, que aguardas/ Filipo? FIL. Señor. TET. No tienes/ que dezirme? FIL. Mira. TET. Calla] ABC.
1932 ya se *for* que se] ABC.
1933 pero esta la suerte echada?] ABC.

1934–41 *In* ABC *the following variation:*

FIL. Si; pero echada a perder.
TET. No es posible remediarla?
FIL. Dezidme, que devo hazer
cielos en desdichas tantas? *(Vase.*

*Sale* MALACUCA.

MAL. Señores, que se anden otros
de aqueste mundo en la farsa,
haziendo Principes Reyes,
Duques, Obispos, y Papas,
Marqueses, Condes, Vizcondes
y una vez sola, y cuitada
que hize un Principe yo,
me va saliendo a la cara?
TET. Que ay Capitan?

CAPITAN *y* SOLDADOS.

CAP. Que aunque oy
tu cauteloso callaras,
quien era aqueste villano,
lo huviera dicho una carta
que Otaviano ha recibido,
en que le dizen, que anda
Aristobolo moviendo
de Jerusalen las armas
para darte libertad,
cuya novedad estraña
su indignacion ha crecido
de tal manera, que manda,
que aquesse loco que fue
de su libertad la causa
den quatro tratos de cuerda.
MAL. Pesame de que tal aya
mandado su Magestad.
CAP. Y que pendiente en la plaza
esté un dia.
MAL. Que es pendiente?
1. Vamos de aqui.
MAL. El Turco vaya.
vive Dios, que han de llevarme,
que es necedad muy usada
el irse uno por su pie,

donde la muerte le aguarda,
pendiente el alma de un hilo:
si estar es desdicha estraña,
que sera de una maroma,
pendiente el cuerpo, y el alma?

TET. Y que rumor es aquel
de trompetas, y de caxas. *(Vase. Tocan.*

CAP. Que Otaviano con su gente,
oy a Jerusalen marcha,
a donde quiere que tu
preso en una nave vayas. *(Vase.*

TET. A Jerusalen el Cesar,
donde los cielos me valgan,
halle a Mariene viva,
quien la idolatro pintada,
el vitorioso, yo preso,
y ella amada, o suerte ingrata!
el amante, yo marido,
y ella hermosa, o pena airada!
el poderoso, yo pobre,
y ella muger, pues que aguarda,
un rayo, que de una nube
aborto de luz no rasga,
siendo vibora de fuego,
una nube las entrañas,
no ay un rayo para un triste,
pues si agora no lo gastas,
para quando, para quando
son Jupiter tus venganzas? *(Vase.*

1941+ "Salen soldados, y todas las mugeres, Aristobolo y Mariene detras marchando."] ABC; "Vanse. Tocan caxas y salen por un lado Aristobolo, y Soldados, y por otro Mariene, y Damas."] D.

1942 Dadme] ABC.

1944 vitoria *for* esperança] AB.

1946 publiquen tus memorias] ABC.

1948–54 *Omitted*] AB.

1955 La palabra te he dado] AC; La palabra te hado] B.

1956 y otra vez te la doy determinado] ABC.

1962 este *for* ese] B.

1966 de quien *for* de que] ABC.

1968+ "Buelven a tocar caxas, y sale Tolomeo."] D; *stage direction omitted*] ABC.

1973 por estos orizontes] ABC.

1974 baxa *for* vaga] ABC.
1975–82 *Omitted*] ABC.
1983–85 ARIST. Tu suerte Tolomeo,/ en tanto que me aclama este trofeo,/ aquí es bien que te quedes,/ donde guardarme las espaldas puedes.] ABC.
1989+ "Quedan Libia y Tolomeo."] ABC; "Buelven a tocar la caxa, vanse Mariene, Aristobolo, y soldados, y quedan Tolomeo, y Libia."] D.
1991 que ya de tu salud, o Tolomeo] ABC.
1993–99 *In* ABC *the following variation:*

recibirle mejor, pues de manera
yo tu pena he sentido,
que mas que darte el parabien le pido.
Yo agradezco, señora,
a essa beldad mi vida desde agora.

2000 y ya como a milagro] AC. *In* B *this line is the same except for the omission of* a.
2002 pues mi muerte sentia] ABC; cree que el morir sentia] D.
2009–10 que ya ganada para hablarte tengo/ de estos jardines llave] ABC.
2011 que ser ladron amor de casa sabe] ABC, *in which it is assigned to Libia.*
2012 Dame essa llave agora] ABC, *in which it is assigned to Tolomeo.*
2013 agora *for* apenas] ABC
2016 serán *for* y sean] ABC..
2017 testigos mudos, pues de tus favores] A; testigos mudos, pues de tus sabores] B.
2018–20 siendo en esferas bellas,/ de noche flores, y de dia estrellas./ Has de advertir que si entras, mas no puedo.] ABC.
2021–22 *Omitted*] ABC.
2024–25 *In* ABC *the following variation:*

sin oirte. Pues espera en esta parte,
que aqui de todo bolvere a avisarte. *(Vase.*

2027 tener *for* temer] ABC.
2029 se incluye *for* yncluyen] ABC.
2030–32 *In* ABC *the following variation:*

que en el mar, y en la tierra, en el cuydado
de un pecho enamorado,
que Cid como un deseo [B, lid *for* Cid]
yo adoro a Libia hermosa.

2032+ "Dentro Filipo" *lacking*] ABC.
2034 clamaronme *for* llamáronme] A.
2035+ "Sale Filipo con una vanda en el rostro."] D; *stage direction lacking*] ABC.
2036 baxel *for* barco] ABC.
2038 y tiene a solas que hablaros] ABC.
2039–42 *Omitted*] ABC.
2043 TOL. Pues bien solo me teneis] ABC.
2045 tan *for* más] B.
2046–47 FIL. Seguidme, donde ninguno/ me vea hablando con vos.] ABC.
2047+ "Entran por una parte, y salen por otra."] D; *stage direction missing*] ABC.
2048 Solos estamos los dos] ABC.
2049 y *omitted*] B.
2051 este *for* ese] ABC.
2057 pues *for* Aun] ABC.
2058 daño *for* duda] ABC.
2059 TOL. Por piadoso o por cruel] ABCD.
2061 FIL. Oculto desta manera] AB.
2062 descubrire for descubriendo] ABC.
2064–65 por ver lo que yo he de hazer./ Que notable confusion.] ABC.
2069 le deis] B.
2071 en una carta sucinta] ABC; trae *for* trais] D.
2072–73 trais con papel, pluma, y tinta,/ rosa, aspid, y veneno] ABC.
2074 su *for* si] B.
2075 el *for* la] ABC.
2076 la *for* a] B.
2077–79 desta manera has venido?/ No solo rigor previene/ este azero; pero piensa] ABC.
2082 traydor eres *for* y pues traydor] ABC.
2083–85 ABC, que el rostro no te encubrieras,/ si leal, y noble fueras,/ y cuerpo a cuerpo los dos.
2087+ *Stage directions lacking*] ABC.
2091 tu desta suerte, que miro] ABC.
2093 ya con mas causa lo creo] ABC.
2095 esse papel *for* esa carta] ABC.
2096–97 que de nuestra lealtad fia;/ la traycion que viene ai] ABC.
2103 assi está *for* estarlo es] ABC.
2106–7 Mucha es mi confusion, mucha/ mi pena, dime, que es esto?] ABC.

2108 error *for* furor] ABC.
2113 Pues, a los dos ha importado] ABC.
2114 vea] ABC.
2119+ *Stage directions missing*] B.
2120 ff. tengo de *for* tengo que] B; *speech assigned to* FILIPO] ABC.
2121–22 si ya de pensarlos muero?/ la Reyna era, ya torcio] ABC.
2126 se de mi ilusion cruel] ABC.
2127 que de cosas] ABC.
2128 mas seguir quiero a Filipo] ABC.
2129+ "Sale Libia."] ABC.
2130–2207 *In* ABC *the following variation:*

LIB. Discurriendo esta ribera
del Mayo florido albergue,
registrando de las flores
Sol, suyo anda Mariene,
Tolomeo, y pues me da
lugar el amor, advierte,
que para entrar.
TOL. Ay de mi!
LIB. Mas di, que papel es esse,
que con tanta turbacion
de mi ocultar le pretendes,
TOL. No es nada Libia.
LIB. Con esso
me des mas gana de verle.
TOL. Tu offendes assi mi amor?
LIB. Y tu un papel me defiendes,
quando yo de mi albedrio
las llaves te doy dos vezes?
TOL. No es de amores, vive Dios,
LIB. Esso dira.
TOL. No has de leerle.
LIB. Tu conmigo tan cruel?
TOL. Tu conmigo tan alebe.
LIB. Suelta el papel.

*Sale* MARIENE.

2131 a passo Mariene] D.
2143 pero no el no ser cortes] D.
2148+ "Sale Libia, y quedase al paño."] D.
2161–63 *These lines between parentheses*] D.
2173+ "Sale Libia, y asele el papel."] D.

2178 honor *for* amor D.
2195 diziendola que *for* diziendo ella que] D.
2201+ *Stage direction lacking*] D.
2207+ "Parten entre los dos el papel, y sale Mariene."] D.
2211–12 sino venenos crueles? LIB. Es verdad, que engendré zelos.] ABC.
2213 esse *for* éste] ABC.
2214 assi mi luz se respeta?] ABC.
2215 te *for* se] ABC.
2216 mi decoro assi se trata] ABC.
2219 vueltas *for* vuestras] D.
2221–24 *In* ABC *the following variation:*

que es Templo de honor, y a verle
el Sol se atreve con miedo,
y entra dentro, porque viene
a traerle luz, que el sol.

2225 entra *for* entrara] ABC.
2226 dame tu essa parte, y tu] ABC.
2231 con la lengua, y cola hiere] ABC.
2232–63 *In* ABC *the following variation:*

no le juntes, no le juntes,
que sera el daño mas fuerte,
vete tu Libia de aqui. [*sic*]
agora.
LIB. Ay de mi!
MAR. Y tu vete.
TOL. Si por ventura han podido
mis servicios merecerte
alguna merced que sea
capaz de muchas mercedes,
rompe esse papel, ay triste!
no le leas, mira, advierte,
que quanto por velle agora,
darás despues por no velle.
MAR. Por que?
TOL. Porque esse papel
tal veneno en si contiene,
que matara a quien le mire,
tu vida esta en que no llegues
a leerle, y es verdad,
porque en el esta tu muerte.

2240 rompe *for* deja] D.

2241 le leas, señora, atiende] D.
2253 el leerle] D.
2264 el que *for* Quien] ABC.
2267 al superior, luego mientes] ABC.
2271 me acuerdes?] ABC.
2272 letra es del Tetrarca va] ABC.
2273–74 *Wanting*] AB.
2275 verle *for* leerle] ABC.
2276 mi *for* ti] ABC.
2278 palabra *for* raçón] ABC.
2279 hallado *for* topado] D.
2282 vezes *for* voçes] ABC.
2284–85 *Omitted*] AB.
2286 TOL. Ay hombre mas desdichado?] ABC.
2287 MAR. Mas que dudo, ya me advierten] ABCD.
2290+ "Lee."] ABC; "Pone los pedazos en el suelo, y juntalos."] D.
2291–92 *Omitted*] ABC.
2293–2302 *In* ABC *the following variation:*

a mi servicio mal suerte
conviene, estraño temor
a mi honor, hados crueles,
y a mi tiranos assombros
respeto, infelize suerte,
que muerto, infeliz muger
yo, tiranias aleves,
con riguroso precepto
secreto, estrella inclemente
deis, todo el cielo me valga [B, dais]
deis la muerte a Mariene:
quien este papel te dio?

2307 porque los dos. Mientes, mientes] ABC.
2308 que el, ni tu, no sois leales] ABC; que ni el, ni tu sois leales] D.
2310 *Lacking*] ABC.
2311 no le aveis obedecido] ABC.
2312 *Lacking*] ABC.
2313 quien es mas complice en este] ABC.
2314 decreto *for* secreto] ABC.
2317–18 que yo he llegado a saberle,/ y vete. Un marmol sere] ABC.
2322–23 en que te ofende mi vida,/ esposo, en que, en que te ofende] ABC.

2325 fuerte agravio, pena fuerte] ABC.
2328 del agua *for* de ondas] ABC.
2330 quando compitiendo a montes] ABC. *Following v. 2330* AB *add two lines:* iba a repetir alegres,/ mas no le son para mi.
2335 el *for* al] ABC.
2337 funesto y misero] ABC.
2338 para abrazar mis desdichas] ABC.
2341–44 *In* ABC *the following variation:*

o te quiero o no te quiero,
si no te quiero, que tienes
que perder en mi? Aunque mueras
pues poco, o nada se pierde
en perder una muger,
quando ni estima ni quiere, [B, esta *for* estima]
si te quiero, para que.

2346 mi muerte, yo sabre, ay cielos!] ABC.
2347–2427 *In* ABC *the following variation:*

matarme yo, si tu mueres,
si, que quien llega a perder
lo que ama, y no lo siente
tanto que pierde la vida,
no puede dezir que quiere,
luego aborreciendo yo,
o queriendo de una suerte,
ofendes mi vanidad,
o mi ingratitud ofendes,
matarme mandas matarme,
si por influxos celestes,
el mayor Monstruo del Mundo
me vida amenaza en esse
pavimiento enquadernado, [C, pavimento]
que nuestras vidas contiene
blanca veldad de los Dioses,
mentira azul de las gentes,
y tu de sus astros puros,
que solo un suspiro mueve,
cumples el rigor que anuncio
las desdichas que prometen
para ser tu el mayor Monstruo
repites, cuyas crueles
armas seran el fatal
azero, que al lado tienes,

ay de mi! que repetido
el dolor una, y mil vezes,
lo que antes fue en mis acciones
sentimiento solamente,
se va passando a venganza:
pues de suerte, pues de suerte
tu desconfianza en mi
ha trocado el accidente,
que ya a pesar del amor,
los rigores, y desdenes
te quieren echar del pecho,
propio afecto de mugeres,
passar de un estremo a otro
en los males, o en los bienes:
mas que digo, que no soy
yo muger, solo que deve
la Real sangre excluirse
de lo comun de las leyes:
y assi en dos partes constante,
dudosa, y indiferente,
como muger ofendida,
y como Reyna, prudente
muger, cumplire conmigo,
en quexarme, y ofenderme
Reyna, cumplire con todos
en no mostrar lo que siente
mi pecho, y pues mis desdichas
sin determinado tienen,
ira, rigor, y venganza
del cielo, el hado, y la suerte,
con puñal, monstruo, y veneno,
disponga, execute, y piense,
fortuna, amor, y desdicha,
porque siga, alcance, y llegue
de aquel monstruo, y este azero
esta prevenida muerte.

2368 Scylas *for* Esçilas] D.
2386 ponga] Dl
2417 tanto] D.
2427+ "Vase."] D. "Fin de la Seg[a] Jornada" *lacking*] BD.

ACT III

*The pious inscription is lacking in* ABCD
2428 *Before this line the following stage directions:*

"Descrubrese una tienda, tocan caxas, dizen dentro, y salen despues Otaviano, y soldados."] ABC; "Suenan ynstrumentos de musica en una parte, y en aviendo cantado, suenan en otra caxas destempladas, y despues de sus versos, en medio salva de tiros, y chirimias, y salen al tablado Octaviano, el Capitan, y Soldados."] D.

2429–39 *Omitted*] ABC.

2433+ "Tocan las caxas destempladas, y dize dentro Mariene."] D.

2437 diga en mi pena fiera] D.

2438 muera *for* muerta] D.

2440 inspirado el clarin, herido el parche] D.

2440–41 CAP. Sacro el laurel, pacifica la oliva/ ciña su Augusta frente.] ABC.

2441+ "Salen Otaviano, el Capitan, y Soldados."] D.

2443 Ciudad de Asia, señora] ABC.

2444–45 *Lacking*] ABC.

2447 con voz, y lengua muda] ABC.

2449 admire] ABC.

2451 con el tiempo, y olvido] ABC.

2453 Besa tu muro, una] ABC.

2454 a pesar del poder, y la fortuna] ABC; en favor del poder, y la fortuna] D.

2456 cobardes *for* traydoras] ABC.

2457 presumas] ABC.

2458 que del Romano yugo sacudas] AC; que el Romano yugo sacudas] B.

2461 su] ABC.

2462 vengo yo que soy brazo de la parca] ABC.

2463–89 *In* ABC *the following variation:*

> dos vezes vitorioso,
> donde aunque piedad el nombre generoso
> de magnanimo espero,
> con este que gané fatal azero,
> por esso le he guardado ossado y fuerte, [B, lo]
> dara tu vista a tu Tetrarca muerte
> de esse baxel, a donde
> vivo cadaver su ataud le esconde,
> le sacad, que oy procuro
> con su cabeza saludar el muro. *(Vanse.*

2465 dexandole] D.

2472 muerte *for* vida] D.

2474+ *Stage direction lacking*] D.

2476 que ofendio, soberana Deidad bella] D.

2480 *Following this line* D *adds:* y que era el Aristobolo fingido.
2481+ "Vanse los Soldados, y tocan caxas destempladas, y suena la musica."] D.
2483 quien *for* quando] D.
2491 a tu nombre, señor, todas las puertas] ABC.
2492–2571 *In* ABC *the following variation:*

estan y si los ojos no han mentido,
un esquadron de damas ha salido,
y azia tu tienda viene.
OTA. Y entre todas, ay cielos! Mariene,
mas gallarda, y hermosa,
entre palidas flores, es la rosa,
y yo a sus rayos mi temor ignoro,
mirando viva a quien pintada adoro.
Mintio el pincel aleve
ofensas deste fuego, y desta nieve.

*Salen todas las mugeres que pudieren y detras* MARIENE *con luto.*

MAR. Turbada al Cesar miro.
OTA. Cobarde al Sol admiro.
MAR. Que pasma su grandeza.
OTA. Que ciega su belleza.
MAR. Y ya un temor en mis sentidos lucha.
OTA. Mucha es mi turbacion.

2499 nuevo *for* otro] D.
2501+ *Stage direction lacking*] D.
2510+ "Con esta repeticion, salen al tablado los musicos, y Filipo con una fuente, y en ella unas llaves, y Tolomeo con otra, y en ella un laurel; y por la otra parte Mariene, vestida de luto, con un velo en el rostro, y todas las mugeres que puedan."] D.
2511–16 *In* D *the following variation:*

TOL. Pues la Ciudad no tiene
mas medio, aunque lo sienta Mariene,
fuerça es rendirnos, llega,
y tu las llaves, y el Laurel le entrega.
FIL. En albricias del fin de penas tantas,
Jerusalen, señor, oy a tus plantas.

2517 D *assigns this speech to Tolomeo.*
2519+ Mariene y mus] D.
2524 que estimaros] D.
2528+ "Buelve Otaviano la espalda; y ella le detiene."] D.
2533 D, quiero *for* debo] D.

2536+ "Quitase el velo."] D.
2538 tomo cuerpo *for* qüerpo cobró] D.
2539–41 Çielos, que es lo que miro!/ todo el aliento al coraçon retiro,/ al verme su presencia descubierta.] D.
2543 Suspensa al verle quedo] D.
2552 no ay *for* Qué ay] D.
2557 quiere] D.
2562+ "Salen los soldados con el Tetrarca, y Polidoro."] D.
2566–67 D, Que son çelos? Pluguiera/ a Baco, para mi zelos hubiera] D.
2573 al un cabo se estiende de la Luna] ABC.
2574 labio] ABC.
2575 Tu *for* su; *and* tu *for* la] ABC.
2576–79 Iris son que serenan a su acento/ mares de agua, y paramos de viento] ABC.
2580 ya que *for* Y pues] ABC.
2582–83 las *for* le] ABC.
2586–87 que al Aguila Romana le dio nido,/ prision sea del tiempo, y del olvido] ABC.
2590 de aquel contra quien ya tu enojo tiene] ABC.
2594 tú *omitted*; mis *for* tus] ABC.
2596 rigores *for* piedades] ABC.
2598 enternecido *for* compadeçido] ABC.
2602 que veas, que merece menos gloria] ABC.
2605 se constituya cadahalso duro, y fuerte] ABC; construyas en cadahalso duro, y fuerte] D.
2606 humilde *for* en brebe] ABC; triste *for* en brebe] D.
2607 triunfo *for* fausto] BC.
2608 AC, con misero lamento] AC; con muero lamento] B.
2609–12 *In* ABC *the following variation:*

> no la vitoria en miserable suerte,
> las galas lutos, llanto el alegria,
> no eches pues, a perder tan feliz dia.
> Entra triunfando, no señor, venciendo.

2613 no señor *for* pero no] ABC.
2614 honor *for* aplauso] ABC.
2618–2829 *In* ABC *the following variation:*

> Hombre eres, yo muger que a tus pies lloro,
> otro camino de obligarte ignoro.
> OTA. Bellissima Mariene,
> milagro hermoso del tiempo,
> exemplo de la fortuna,

y de la belleza exemplo.
Agravio ha sido escucharos,
porque un generoso pecho,
no ha de esperar que le compren [B, pesar]
las mercedes con los ruegos.
Mal hize en no adivinar
antes vuestros sentimientos,
que os costate la verguenza
de dezirlos el vencerlos.
No lloreis, que valen mucho
lagrimas de ojos tan bellos,
y murmurara la tierra
de ver como llora el cielo.
Una vida me pedia,
y aunque es verdad que lo siento,
remedie el pesar de oiros,
el gusto de obedeceros.
Si bien es error, que yo
nada os doy, señora, en esto,
pues una vida no os doy,
sino pago otra que os devo,
que entre su azero, y mi vida
pintada os mire en un tiempo,
Mariene, pero viva
entre su vida, y mi azero,
que es mas dichoso que yo,
quando dize aquel probervio,
de lo vivo a lo pintado,
pues vence con tanto excesso,
quanto ay de un alma a una sombra,
quanto ay de un vida a un lienzo.
El Tetrarca vuestro esposo
es este palido exemplo
de la fortuna, del hado

*(Sacan al* TETRARCA *con prisiones.*

este misero trofeo,
desse pequeño vagel,
que fue su ataud pequeño,
salis a mirar, trocando
la razon, pues siempre vemos
dar el muerto al ataud,
mas no el ataud al muerto.
Viva, pues vos lo quereis,

y por no dexar a riesgo
vuestros ojos de que lloren,
otra vez perdon concedo,
a Aristobolo, y repito [B *omits* a]
en su honor, y en el govierno
al Tetrarca, assi le admita
Jerusalen, que no quiero
barajar a mi fortuna
tan ilustre vencimiento.
Sepa el, que vive por ti, [B, vine *for* vive]
sabe tu, que por ti muero. *(Vase.*

TOL. Ya no tengo que temer,
pues pidio su vida, es cierto,
que tener quiero su agravio
esta carcel del silencio.

TET. O humanas honras del mundo,
quanto es vuestro lustre incierto,
pues os sabeis vender honras
de los agravios a precio, [B, al *for* a]
y siendo honras, sois agravios!
quanto mejor fuera, ha cielos!
morir, que no que pidiera
mi vida Mariene, a trueco
de una lagrima, si bien
solo queda este consuelo,
que pues pidio Mariene
mi vida, estara secreto
aquel monstruo de mi honor,
y prodigio de mis zelos;
disimulemos desdichas.

MAR. Agravios disimulemos.

TET. Tiempo avra para quexarnos.

MAR. Para llorar avra tiempo,

TET. Aunque me has dado la vida,
no se si te la agradezco,
pues si es tuya, y tu la guardas
nada a tus finezas devo.
Dame los brazos, en quien [B, dadme]
pedazos, viven los cielos,
te hiziera, para que logre
mi amor tan feliz empleo.

MAR. Tuya es el alma, y la vida,
porque aqui ingrato me veo,
te doy los brazos, que antes

pedazos te hiziera en ellos.
TET. Tu ofendida?
MAR. Tu quexoso
TET. Tu cruel?
MAR. Y tu severo?
TET. Yo tengo razon.
MAR. Yo no,
porque mas que razon tengo,
TET. Cielos, que es esto que escucho?
MAR. Que es esto cielos que veo?
TET. Tened el curso desdichas?
MAR. Fortunas, parad el suelo?
TET. Que dize mucho callando.
MAR. Que dize mucho sintiendo.

*(Buelve por la otra parte.*

OTA. O exemplo de la hermosura,
y que soberano imperio
es el tuyo, pues que obligas
al mas generoso pecho
a tu obediencia, que en ti
es valor el rendimiento.

*Sale* MALACUCA *con muletas, y manco.*

MAL. Señor, ya que tu piedad
con todos quantos tuvieron
parte en estos alborotos,
es tan liberal te ruego,
que mandes, que se me quiten
los tratos que se me dieron,
que son muy vellacos tratos. **[B, trato]**
SOLD. I. Aparte de aqui.
OTA. Que es esso?
SOLD. I. No es nada.
MAL. No es sino mucho. **[B *omits* es]**
OTA. Quien sois?
MAL. Un Principe guero,
un Capitan de la legua,
un Cavallero de viejo,
en efecto, soy un **[B, una]**
Aristobolo contra hecho,
que sin averme mojado,
a enjugar estuve puesto,
en tal maroma, que apenas

me vio levantar del suelo,
que siempre yo me levanto
a semejantes sucessos,
quando rechino entre si,
como quien dize, yo quiero
hazerle aqueste una burla,
y se quebró, dicho, y hecho,
con que despues de sacarme
los brazos por el pescuezo,
me hizo quebrar las piernas [B, ambas *for* las]
y en dos muletas parezco
al tiempo, y bien parecido,
segun que anda ruin el tiempo.

TET. Yo he usado de mi piedad,
si padecisteis primero,
quexaos de vuestra fortuna.

MAL. He aqui señor que me quexo,
y no me sirve de nada.

*Sale* ARISTOBOLO

ARIST. Humilde a tus plantas llego,
a donde a los Dioses juro,
que la vida que te devo
siempre viva agradecida
a la piedad de tu pecho.

MAL. Que este por dezir que era
yo, se esta tan sano, y bueno,
y yo por dezir, que era el,
me estoy agora muriendo,
o vil fortuna! [B, mi *for* vil]

OTA. Levanta
Aristobolo del suelo,
que si huviera de vengarme
del daño que tu me has hecho,
no bastaran muchas vidas.
Yo te perdono, que quiero
vivir antes bien quexoso,
que mal vengado.

ARIST. No entiendo
tus razones.

OTA. Son enigma,
que las descifro yo mesmo. *(Vase Otaviano.*

MAL. Señor.

ARIST. Quien llama?

MAL. Tu estatua.
ARIST. Pues Malacuca, que es esto?
MAL. Una gran supercheria
es, que contigo se ha hecho
por debaxo de la cuerda,
y por encima del viento,
y no la siento por mi,
que por mi sola la siento,
pues conmigo no se hizo,
no uno contigo esto;
porque yo hazia tu papel.
ARIST. Pues si conmigo se ha hecho,
yo se lo perdono assi,
que tu no te quexas dellos.
MAL. Si pero dueleme a mi [B, duele mas *for* dueleme]
y por aquesto me quexo.
ARIST. Luego no se hizo conmigo. *(Vase.*
MAL. Probado esta el argumento:
Taures, los que pedia
monedas, veed en mi exemplo
una suerte que troque,
de que manera me ha puesto.

*Salen todas las damas, el* TETRARCA, *y* MARIENE.

Despues de dar mala vida,
que yo tan a costa compro
de los agravios que callo,
de las desdichas que lloro.
Torciendo las blancas manos,
humedeciendo los ojos,
turbada la voz del pecho,
palido el color del rostro,
hasta el Palacio has llegado,
y en el a lo mas remoto
de sus quartos pues que es esto?
mira que es afecto impropio
del beneficio, cobrarle
tan presto, no riguroso
tu pecho aquel bruto sea,
que viendo el veloz arroyo
de una fuente inficionado [B, aficionado]
del aspid, noble, y piadoso
se enturbia, porque no beba
el caminante, que absorto

de ver enturbiar la plata
que le brindo con sonoro
acento a beber cristal
en penada copa de oro.
Maldize al bruto ignorado
el favor, y assi dudoso
no agradecere la vida,
si con agravios la logro.
Que es turbar los beneficios
embozarlos con enojos.

MAR. Ya hemos llegado hasta el quarto
previnido, salios todos. *(Vanse todos.*
tu tenme abierta essa puerta,
en tanto que yo dispongo
cerrar estotra.

TET. Fortuna,
que es esto?

MAR. Ya estamos solos.

TET. Que miras?

MAR. Miro el puñal.

2630–31 del criado, y ver que estaba/ en el retrato suspenso] D.
2634 por mi, por ella, y por el] D.
2665 delito *for* peligro] D.
2674 oy que os advierto interpuesta] D.
2679 dexar *for* poner] D.
2684 a vuestro hermano, y a quantos] D.
2688 quede nada que pedirme] D.
2689 *Following this line,* D *adds two lines:*

que no es decoro ser mio,
el dia que se que es vuestro. *(Dasele.*

2696–97 *Omitted*] D.
2698 a Mariene. MAR. Felice] D.
2706 el acaso] D.
2707–10 D *omits the aside and reduces four lines to two:*

y el segundo, hallar secreto
aquel rigor que fie.

2712 Ya que] D.
2714 enojo *for* agrabio] D.
2716 y luego] D.
2719 tengo *for* dejo] D.
2722–23 con el mismo que esta noche/ ha de abrir el aposento] D.

2724 *Omitted*] D.
2737 *In* D *the Tetrarca's speech reads as follows:*

yo el primero,
como el mas interesado,
sere quien vaya diziendo;
viva Aureliano.

2742 Aureliano *for* Otabiano] D.
2742+ "Con esta repeticion se van todos, y quedan Polidoro, y Soldados."] D.
2751 capon *for* enano] D.
2752 aun es *for* es tan] D.
2757 que venia a ser ahorcado?] D.
2759 bien *for* bueno] D.
2760 faltar] D.
2762–63 *Omitted*] D.
2769 *Omitted*] D.
2770–72 *In* D *the following variation:*

y no valgo quatro quartos
para ahorcado. Y fuera desto,
que ahorcado no es como un pino
de oro, en el comun lamento
de las viejas que le lloran?
Esta por ventura el tiempo
para no ser pino de oro,
siquiera, por un momento?

2778–88 *In* D *the following variation:*

que diran de mi los ciegos,
que la xacara tendran
escrita ya de mis hechos?
Ello he de morir ahorcado,
que mi honra es lo primero;
y assi, ustedes no se cansen,
que aunque les pese, he de hazerlo.

2793 *Expanded by* D *into:*

SOLD. 1. Ande el menguado.
SOLD. 2. Este es loco.
POL. Hablemos bien, cavalleros,
que no es loco, ni menguado
quien tiene mi entendimiento.
SOLD. Dexarle para quien es.

2794 *Following this line* D *reads:* me matare con mi padre,/ con mi tio, y con mi abuelo.

2795 y para satisfacer] D.

2800–2831 *In* D *the following variation:*

SOLD. I. Pues por vida.
POL. Que me jura?

*Sale* ARISTOBOLO.

ARIST. Polidoro, pues que esto?
SOLD. 2. No es nada.
POL. No es sino mucho.
ARIST. Que es, di?
POL. Un atrevimiento,
y un desacato muy grande,
que aqui contigo se ha hecho,
pues siendo yo tu persona,
ahorcarme quisieron estos;
y no pudo ser a mi,
quando yo no era yo mesmo,
porque hazia tu papel.
ARIST. Pues si conmigo es el duelo,
satisfecho le perdono,
porque no te quexas dellos:
donde esta el Emperador?
SOLD. I. En su tienda.
POL. Pues yo quiero
irle a agradecer la vida
a la piedad de su pecho.
Ya sabre de aqui adelante
el papel que represento.

*Vanse todos. Salen el* TETRARCA, MARIENE, *y* DAMAS.

2831 Que miras? Miro el puñal] ABC.
2834 vien *omitted*] ABCD.
2835 le perdi. Pues oye] ABC; de mi vida le perdi] D.
2836 ya te oigo] ABC; Pues escucha. Ya te oygo] D.
2837 cobarde *for* finjido] ABCD.
2841 pedir *for* el pedir] ABCD.
2844 *Following this line* ABC *read:*

en cuya vida el ave sea
el sagrado Mauseolo,
nace, vive, dura, y muere,
hijo, y padre de si propio.

D *reads the same, except that* en *is omitted in the first line and* que en sagrado *is substituted for the second line.*

2845 la tuya comprando a precio] ABCD.
2846 suspiros *for* jemidos] ABCD.
2849 Pues no ha sido, no piedad]ABCD.
2850 mi *for* ni] ABD.
2855 pagarle *for* correrle] ABCD.
2857 ingrato *for* tirano] ABCD.
2859 ABCD *add 14 lines following v. 2859*:

No, pues por librarte, no,
del veneno riguroso,
turbe el cristal aprendiendo
piedades del Unicornio,
antes para que le bebas
te le enturbié con embozos,
y al rebes de la piedad
de aquel animal piadoso,
prodeci, pues el cubrio
el beneficio de polvo,
y yo de halagos la ofensa,
mira lo que ay de uno a otro,
que desdora las piedades, [D, el desdora]
y yo las crueldades doro.

2859 no me diera, no, venganza] ABCD.
2861 los afanes *for* las desdichas] ABCD.
2862 ultima linea de todos] ABCD.
2864 y *omitted*] ABC.
2865 porque en el mundo no ay] ABCD.
2871 Fuera desto *for* Demás de que] ABCD.
2873 perdi *for* pedí] B.
2874 las causas con que me enojo] ABCD.
2879 Tu vida pedi, en efecto] ABCD.
2880–83 *Omitted*] ABCD.
2886 cuidadoso *for* deseoso] ABCD.
2888 convenza] ABC.
2889 viva *for* al verle] ABCD.
2890 estatua de nieve, y plomo!] ABCD.
2891 que examinar estudioso] ABCD.
2893 como vino a ella, porque] ABCD.
2899–2900 *In* ABCD *the following variation:*

le ofrecio de no encubrirle [D, encubrirlo]
nada en su centro mas hondo.

2902 las mercedes *for* los fabores ABCD.
2908–36 *In* ABCD *the following variation:*

Tu eres rama de aquel tronco,
que dize bien, el que dize [D, aquel *for* el]
que eres baxo, y afrentoso
Idumero, cuya cuna [D, Idumeo]
barbara es, que mas apoyo
desta opinion, que tus zelos
infames, como alevoso?

2937 cruel *for* sañuda] ABCD.
2944 bramidos *for* jemidos] ABCD.
2945 mordiendo *for* royendo] ABCD.
2947 se despedaza, sacando] ABCD.
2950–51 el pecho en mil partes roto,/ y por dar la vida muere] ABCD.
2952 desangrando] B.
2954 que al peligro mas notorio] ABCD.
2955 su *for* la] ABCD.
2957 es *for* haçe] ABCD.
2959 fiero] ABC; fieron *(sic)*] D.
2961 mas tu, barbaro en fin] ABC.
2962 apenas *for* amparas] ABCD.
2965 a un marido *for* aun muriendo] ABC.
2970 tu] B.
2971 supuesto] ABC.
2972 decreto *for* despecho] ABCD.
2973 fue con *for* fueron] ABCD.
2974 dexarte] ABC; quiere] D. *Following this line* ABCD *add the following lines:*

quien muriendo, pues previno
avariento, o cauteloso,
llevar desde aqueste mundo
prevenciones para el otro.
Si es nuestra vida una flor
sujeta al mas facil soplo
de los alientos del Austro,
de los suspiros del Noto,
que en espirando ella, espira
todo quanto vemos, todo
quanto goza, mas que error [D, gozamos *for* goza,
dispuso que tu zeloso. mas]

*Following v. 2974* D *adds two lines:* prevengas para el sepulcro/ las riquezas, y los gozos?

2976–83 *Omitted*] ABCD.
2984 Y pues examino, y toco] ABCD.
2990 otro] ABCD.
2991 medio] ABCD.
2995 prodigio] B.
2996 menudas *for* doradas] ABCD.
2997 mas feliz sin ti, no] ABC; mas feliz sin ti y conmigo] D.
2998 he de dar con tal divorcio] ABC; no he de dar con tal divorcio] D.
2999 que dezir al mundo, y esto] ABCD.
3000–3005 ABD *reduce to two lines:*

se quedará entre nosotros.
En tu vida, ni en mi vida.

3011 obscuro *for* negro] ABCD.
3013 estorvará el que te vea] ABCD.
3016–30 ABC *reduce to the following:*

y en aquesse quarto solo
vivire con mis mugeres,
guardando viudez en todo,
y nunca me entres en el,
que por los Dioses que adoro,
que de la mas alta almena
que arroje al sepulcro undoso 3022
del mar, donde dividida 3023
de mi muerte en breves trozos, 3024
a los atomos, que son 3025
geroglificos del ocio, 3026
y no me sigas, porque.

D *reads as above with the following exceptions: Lines 3024, 3025, and 3026 are omitted. Line 3023:* infelizmente *for* dividida. *After line 3022 this line is added:* me oculte en su centro hondo.
3030 *Following this line* ABCD *add two lines:* con tanto temor te hablo,/ con tanto pabor te oigo.
3031 pienso *for* creo] ABCD.
3033 echado *for* el hado] ABC.
3035 y el mayor monstruo del mundo] ABCD. *Following line 3035* ABCD *add two lines:* me amenazan, oy conozco/ la verdad, pues, si entras dentro.
3038+ Vase] ABC; "Entrase, cerrando la puerta."] D.
3039–3199 *In* ABCD *the following variation:*

TET. Hasta aqui pudo, hasta aqui
llegar un hado cruel,

el papel mismo el papel
que con Filipo escrivi
a Tolomeo, ay de mi!
tiene Mariene, fuerte [B, a Mariene]
dolor, y ella injusta suerte!
de mi rigor ofendida,
me ha dilatado la vida
por dilatarme la muerte.
No me quexo del rigor
con que se quexa a los cielos,
bien lo merecen mis zelos,
bien lo merece mi amor.
Mas quexome de un traydor
tan aleve, y tan cruel:
mas ay de mi, que no es del
la culpa, que solo es mia,
que esto merece quien fia
sus secretos de un papel.
Ni se que hazer, ni dezir,
que entre uno, y otro pesar,
ya, ni me puedo quexar,
ni dexarlo de sentir:
desenojarla es mentir,
porque es mi amor de manera,
mi passion tan dura, y fiera,
que si en tanta confusion
oy bolviera a la prision,
oy el delito bolviera;
porque ella al fin no ha de ser,
ni vivo ni muerto yo,
de otro nuevo dueño, no:
y si alguno quiere ver [D, que mi amor se ha de ofender]
lo extremo deste querer [D, aunque no lo llegue a ver]
en parte gusto me ha dado
el que se aya declarado,
pues en esta ocasion ya
sin escandalo estara
siempre este cuarto cerrado.
Cerrarele por defuera,
y yo mismo no entrare
en el, porque yo aun no se
si a mi otros zelos me diera,

y si hiziera si, si hiziera,
pues si a mirarme llegara;
a sus brazos, pensara [D, en *for* a]
que era tan dichoso alli,
me desconociera a mi,
y que era otro imaginara.
De suerte, que mis desvelos
enseñados a desdichas,
tuviera miedo a mis dichas, [D, tuvieran]
pues ellas me dieran zelos: [B, dieron]
quien sin estos desconsuelos? [D, son *for* sin]
quien es aqueste rigor,
cuya pena, cuyo horror, [B, tuyo *for* cuyo]
que no es discurso prolixo,
ni embidia, ni amor es hijo
de la vida, y del amor?
Hecho de heridos despojos
tiene de syrena el canto,
y de cocodrilo el llanto,
de basilisco los ojos,
los oidos para enojos
del aspid, luego bien fundo,
siendo monstruo sin segundo,
esta rabia, esta passion,
de zelos, que zelos son
el mayor monstruo del mundo.

*Sale* FILIPO *y* TOLOMEO.

FIL. Como te dare, señor,
el parabien de tu vida.
TET. Viendo la tuya rendida
a manos de mi rigor.

3201–2 que hiziste, di, de un papel/ que? Ya mis desdichas creo] ABCD.
3207–8 *In* ABCD *the following variation:*

TET. Di tu, traidor.
TOL. Que ha de hazer?
TET. Un papel que te escrivi
que es del? La verdad aqui.

3211 una dama. Di. Señor] AD; una dama. Oi. Señor] B.
3213 Prosigue. De mi zelosa] ABCD.
3214 D *encloses the line in parenthesis.*

3216–17 y ella. No prosigas, no/ y castigue esse error yo] ABCD.

3218–19 Tente señor. Por mi mano./ Ya esperar aqui es en vano] ABC.

3218 *Stage direction omitted*] ABC.

3221 Ha cobarde] ABCD.

3223–24 campaña seran las nubes,/ que hagan de mi honor alarde] ABCD.

3224+ "Vase tras el, y Filipo deteniendole, y entrando por una puerta, salen por la otra."] D.

3225–26 Donde de tanto rigor/ estare seguro? FIL. Advierte] ABCD.

3226+ "Vase tras del, y buelve a salir Filipo deteniendole."] ABC.

3227–33 *In* ABCD *the following variation:*

que huyendo tu azero fuerte
al campo salio, señor;
y ya del Emperador
hasta la tienda ha llegado.
TET. Pues valgale esse sagrado
por aora, aunque no se
como un punto vivire.

3234+ "Vanse el Tetrarca, y Filipo, salen Otaviano, y Tolomeo."] ABC; "Vanse el Tetrarca, y Filipo, quedase Tolomeo, y sale Otaviano."] D.

3235 Hombre, que te has atrevido] ABC; Hombre que turbado, y ciego] D. *Following 3235* ABC *add:* oy a penetrar mi tienda.

3236 ABC, perdido el color, robadas] ABC. *Following 3236* ABC *add:* las acciones siempre puesta.

3238 la mano en tu azero, quando] ABC.

3239–44 *In* ABC *the following variation:*

al sueño rindo las fuerzas.
Si por dicha, o por desdicha
alguna traycion intentas,
executala conmigo,
solo estoy.
TOL. Señor, espera.

3246 lançe *for* trançe] ABC.

3249–52 *Omitted*] ABC.

3253–54 Que pretendes? No mi vida/ que nada me importa esta] ABC.

3258 fuerte *for* fuere] B.

3259–60 *Lacking*] ABC.

3264 Following this line AB add: que son milagro los dos/ del amor, y la belleza.
3265–70 *Lacking*] ABC.
3268 quando a sus aumentos llegan] D.
3269 la *for* su] D.
3271 que ya *for* pues que] ABC.
3272 pronunciada] D.
3273 no *for* tú] ABC.
3275 en dos retratos] D.
3276–77 *Parenthesis lacking*] ABC.
3277 a quien el se lo conto] ABC.
3278–3323 *In* ABC *the following variation:*

porque aun muerto el, no pudieras
lograrla, mando matarla:
si fue rigor, o fineza,
no lo se, que en este caso
cualquiera disputa es necia:
Mandomelo a mi, y la carta,
que destos delitos era
complice, llego a mis manos,
no importa que el como sepas,
o bien los rigores del,
o bien los agravios della,
que esto no se han publicado
de sus zelos la violencia, [B, vozes *for* zelos]
con cuyo afecto es forzoso,
sino es que el discurso mienta,
que este a peligro su vida,
mejor lo diran las señas,
de ver que en un cuarto sola
con sus mugeres la encierra,
donde apenas entre el Sol,
y entrara quando entre apenas.
Pues eres Cesar, señor,
y tan generoso Cesar,
que para vitorias tuyas
falten oy plumas, y lenguas.
libra, libra de un tirano
su vida, que el que en ausencia
mandava matarla a otro,
mejor lo hara en su presencia
por su mano, ampara pues
su beldad, porque te deva

el cielo su mejor rayo,
la Aurora su mejor perla,
el Abril su mejor flor,
y el Sol su mejor estrella.

OTA. Expuesta, pues, Mariene,
y por mi ocasion expuesta
a tanto riesgo que espero,
no soy quien soy, si por ella
no pierdo la vida, ire
donde mas con mas prudencia
lo he de mirar, que no es bien
que la informacion primera
me lleve tras si, soldado.

3281 la atosigasse, y matasse] D.
3285 tomaste *for* avías dado] D.
3311 Sol *for* flor] D.
3312 y el cielo su] D.
3313 Calla, calla, no prosigas] D.
3318 No soy quien, si por ella] D. *Following 3318* D *adds:* no pierdo la vida, ire/ donde jamas con mas prudencia.
3325 que *lacking*] B.
3326–28 te llevare a que la veas/ afligida, y retirada,/ por no dezirte, que presa] ABC.
3329–30 *Lacking*] ABC.
3331 Dentro de la torre? Si] ABC.
3333 sirve *for* oy] D.
3334 llave es maestro] B; oy *for* sirbió] D.
3335–50 *In* ABC *the following variation:*

con que cada noche entrava
a hablar en un jardin della,
con una dama que fue
de todo causa primera.

OTA. Pues guiame tu, que nada
temo, tu rezelo sea
esta traycion, o lealtad
a todo mi amor se arriesga.
Y pues ya el ave noturna
estiende las alas negras
haziendo sombras, y el Sol
Fenix renace de estrellas,
en hogueras de zafir,
vamos Mariene bella,
a darte la vida voy,
quiera Dios que la agradezcas.

3338 *Lacking*] D. *Following v. 3338* D *adds:* y todo el Palacio cerca,/ para que en qualquier trance,/ llegando una vez a verla.
3342 puesta *for* fuera] D.
3343–44 la Ciudad en confusion,/ podre ir a favorecerla] D.
3347 en fin; lealtad, o traicion] D.
3348 por verte *for* verte yré] D.
3349 ire, y si es a darte vida] D.
3350+ "Vase. Salen todas las mugeres, y Mariene desnudandose."] ABC; "Vanse y salen Mariene, y las mugeres que puedan, unas con luzes, que pondran en un bufete, y otras con azafaces."] D.
3356–57 *In* ABC *the following variation:*

este mal, es tan penoso, [B, aun *for* tan]
que no me matara fiel.

*In* D *these lines read:*

mi mal, es tan riguroso,
que no me mata, de fiel.

3358 viendo el] ABC; sin ver el] D.
3361–70 *Omitted*] ABC.
3363 hasta esta hora] D.
3370+ "Van recogiendo en los azafates todos los adornos que se quita."] D; *stage direction omitted*] ABC.
3373 desobligado *for* desmarañando] ABC.
3374 de las prisiones de dia] ABC.
3375 que armonia] ABC.
3376 dulce *for* algo] ABC.
3377 yo *for* no] ABC.
3378–79 para desdichas naci,/ viviendo assi] ABC. *Following line 3379* ABC *add:* no he de oir musicas, no,/ suspiros, y penas si.
3380–3400 *Omitted*] ABC.
3380 hallo *for* dió] D.
3386 calidad *for* condiçión; el *for* al] D.
3390 conseguir esso mejor] D.
3391–3400 *In* D *the following variation:*

CANTA. Ven muerte, tan escondida,
que no te sienta venir,
porque el placer del morir
no me buelva a dar la vida.
MAR. Bien sentida,
y declarada passion;
cuyos son
essos versos?

SIR. No lo se,
porque acaso los halle,
estudiando otra cancion.
MAR. Buelvelos a repetir,
porque yo con ellos pida.
LOS DOS. Ven, muerte, tan escondida,
que no te sienta venir.
MAR. Mas si a advertir
llego mi ansia entretenida,
el canto impida,
que ya no los quiero oir.
LAS DOS. Porque el placer del morir
no me buelva a dar la vida.

*Salen* OTAVIANO *y* TOLOMEO.

3400+ "Salen Tolomeo, y Otaviano."] ABC.
3403–5 de la noche, has penetrado/ el jardin, y hasta lo oculto/ de su quarto llegas. Ya] ABC.
3404 al tiempo] D.
3406 de tus *for* ya tus] ABC. *This speech is assigned to Tolomeo.*
3407 prision *for* afliçión] D.
3407–8 *Omitted*] ABC.
3409–14 *In* ABC *the following variation:*

retirate tu a essa puerta,
que menos ruido hara uno,
mientras de otras señas yo
mas informarme procuro.
TOL. No te sientan.
OTA. No podran
desde aqui.
TOL. Pues bien seguro
quedas, a la puerta espero. *(Vase.*

3410 *Following this line* D *adds:* de si es acaso, o malicia.
3415–3632 *In* ABC *the following variation:*

OTA. Y yo mas cobarde, dudo,
si ha sido dicha, o desdicha,
tener la ocasion que busco,
porque tanto la deseo,
y tanto en ella me turbo,
que no sabre discurrir,
si este es ya pesar, o gusto:
verdad sus desdichas son,
pues que vestida de luto

esta, y como de las sombras
sale el Sol mas bello, y puro
ansi con la oposicion
del trage esta tal, que juzgo,
que ha buscado su hermosura
las desdichas con estudio:
mas que hecho? valgame el cielo!
*(Retirandose tropieza en un bufete, y cae un azafate.*

MAR. Que ruydo es aquel?
OTA. No escuso
ya que me vean.
SIR. Señora
yo no se.
MAR. Y yo apenas.
OTA. O que a punto
para tropezar en el
aqui este bufete estuvo.
MAR. Dad vozes, ola.
OTA. Detente,
no des vozes.
SIR. Veloz huyo.
ARIST. Llama Libia.
LIB. Yo no puedo.

*(Vanse las mugeres, dexando cada una la parte que le ha tocado de los vestidos de Mariene.*

OTA. Mariene.
MAR. O cielo injusto!
OTA. Segura estas.
MAR. Pena fuerte!
OTA. Que quien desta suerte pudo
entrar solo aqui, no viene
a ofenderte, mas le traxo
deseo de darte vida.
MAR. Mucho es mi temor, y mucho
mi valor, pues señor, quando,
yo; como, apenas pronuncio
razon, en mi quarto vos,
vos en el jardin?
OTA. Quien supo
antes de veros amaros,
despues de veros bien dudo,
que dexar de amaros sepa.
MAR. No son de un Cesar Augusto
estas hazañas.

OTA. Si son,
que antes el Cesar dispuso,
que en mi del daño se quede
la causa, y esto procuro
enmendando vuestro riesgo,
de que fue causa.
MAR. Ya arguyo
que sois vos el que mi vida
en tantas desdichas puso,
y quereis remediarlas.
Ya de todas os disculpo
con que os vais de aqui.
OTA. Si hare,
como para blason sumo
dexeis tocar essa mano. [B, tomar]
MAR. Es atrevimiento injusto.
OTA. No es sino justo deseo.
MAR. Antes a los Dioses juro,
con este puñal que ciñes, [*Saca el puñal.*
que ya en mi mano desnudo
esta, me rompere el pecho.
OTA. Ya de verte me confundo
detente muger, detente,
que eres un vivo trasunto
que me repite a los ojos
de aquel tragico dibujo
las especies.
MAR. Ay de mi!
que es lo que miro? Que dudo?
el puñal es este, cielos,
que siempre fatal indujo
mi estrella contra mi vida? (*Dexale caer.*
o riguroso, o sanudo
ministro! ya con mas causa
de dos enemigos huyo. (*Vase.*
OTA. Espera, detente, aguarda,
bien se que mi muerte busco
pero tengo de seguirla,
ni bien vivo, ni difunto.

*Vase, y sale como cayendo el* TETRARCA.

TET. Quien en el mundo ladron [B *omits* en]
del mismo tesoro suyo,

quiso dentro de su casa
gozar sus bienes por hurto?
por las tapias del jardin
he entrado, que assi procuro
ver, si con amor obligo,
a quien con zelos injurio,
Ofendida Mariene
de mi decreto, propuso,
que ya la tenga por muerta,
quien por perdida la tuvo:
este es su quarto, y en el
a una escasa luz, noturno
Luzero, que late horror
en repetidos impulsos, [B, entrepetidos]
veo un bufete quebrado,
y por la tierra aqui juntos
de mugeriles adornos,
distintamente confusos,
lleno el suelo: mas no es esto
informado ay Dios! presumo
que casa que se despoja
de las riquezas que tuvo,
sin orden, y sin concierto,
es materia al fuego: o injusto
pensamiento! pero ya
no dudo, ay cielos! no dudo
ni la tormenta, ni el fuego,
siendo de los dos assumpto:
la tormenta, pues que no
en sus pielagos flutuo:
el fuego, pues que ya siento
la llama en que me consumo.
Luego ay tormenta, y ay fuego
donde ay agravio sumo,
para zozobrar suspiros,
y para hazer llorar hvmo.
Que es esto? ay de mi! no es este
el puñal sangriento y duro
que previno el cielo? Si
en los celestes coturnos
por ministro de los Astros,
por agua de sus rumbos.
No es este el que yo a Otaviano
dexe? Si; pues quien le truxo

entre pompas afectadas?
pero para que discurro,
si de un hombre desdichado
es homicida el discurso.
Tarde hemos llegado zelos,
tarde, tarde, pues ya juzgo
que quien arrastra despojos
avra celebrado triunfos.
Pues que espero? este puñal
mi pecho penetre agudo,
si es dichoso el desdichado,
que siendolo, nunca supo
que era, nunca sepa,
ay de mi! lo que presumo,
dareme muerte.

Mar. Detente
señor.

Tet. Que voz escucho?

Ota. Advierte.

Mar. Yo he de matarme,
antes que el intento tuyo
logres; mas que es lo que veo!
*(Sale huyendo, y ve al* Tetrarca.

Ota. Pues yo: mas que es lo que escucho?

Mar. Esposo, señor.

Tet. Turbado
he quedado!

Ota. Y yo confuso [B *omits* Y]

Mar. Yo confusa, y yo turbada
entre dos peligros juntos,
entre dos muertes vezinas
estoy, pues huyendo de uno
doy en otro, y ya no se
qual dexo, ni qual procuro,
qual pierdo, qual solicito,
qual hallo al fin, ni qual busco,
pues siempre tengo peligro,
quando paro, y quando huyo.

Tet. Pues no temas que a tu honor
este pecho sera muro.

Ota. No temas que ya tu vida
este pecho sera escudo.

Tet. Cumple pues lo que prometes.

Ota. Assi veras si lo cumplo. *(Saca la espada*

MAR. Ay de mi! para salir
oy de duelo tan injusto,
he de apagar esta luz. *(Anda a cuchilladas.*

TET. A donde, Cesar perjuro
estas?

OTA. Adonde tirano
te ocultas?

TET. Yo no me oculto.
buscame.

MAR. Valedme cielos.

TET. No te hallo aunque te busco.
La espada perdi, no importa,
con este puñal agudo
muere a mis manos. *(Topala.* [*omitted in* B.

MAR. Ay triste!
yo soy muerta: Dioses justos
tened piedad, si sois Dioses. [B, son]
*(Dala, y cae en el suelo.*

OTA. Que es lo que oigo?

TET. Que escucho?

*Sale toda la compañía.*

SIR. Llegad presto, llegad todos.

ARIST. Que es esto?

TET. Yo me confundo
con esto: que es lo que he hecho?

ARIST. O aleve!

OTA. O fiero! o perjuro!

ARIST. La mayor belleza has muerto.

OTA. Eclipsado al Sol mas puro.

TET. Yo no la he dado la muerte.

OTA. Pues quien?

TET. El destino suyo,
pues que muriendo a mis zelos,
que ellos fueron los verdugos,
vino a morir a las manos
del mayor monstruo del mundo.

OTA. Matadle.

TET. No ay para que
solicitud a ninguno
le deva aquesta venganza,
que no ha de costar estudio
mi muerte, pues que yo mismo
vengarme de mi procuro;

desta torre despeñado,
el mar sera mi sepulcro,
porque los zelos se acaben,
viendome en el mar profundo,
que ellos fueron solamente
el mayor monstruo del mundo. *(Vase.*

OTA. Seguidle todos, seguidle,
TOL. Desesperado, y confuso
se echó al mar.
OTA. Retirad todos
aquesse cielo caduco
donde sea un monumento
para los siglos futuros,
desengaño de que son,
o ya justos, o ya injustos
los zelos, digalo yo
el mayor monstruo del mundo.

3420 Laura *for* Arminda] D.
3421 *Following this line* D *adds one line:*
CANTA. Ven, muerte, tan escondida.
3423 a cerrar las puertas] D.
3423 "Al ir azia donde esta Otaviano, el la detiene, y ella dexa caer el azafate, huyendo."] D.
3426 ay de mi infelice. Que esso] D.
3428 ha entrado aqui] D.
3432+ "Vanse las Damas huyendo, y dexando caer azafates y adornos."] D.
3434 medrosa *for* tímida] D.
3435 tambien yo] D.
3437 que mas] D.
3444 un *omitted*] D.
3445 essas razones *for* tales açiones] D.
3446 induxo *for* trujo] D.
3454 a la agena *for* por otra] D.
3456 una *for* vuestra ]D.
3463 y quando *for* a quien] D.
3464–69 *Omitted*] D.
3470 que *omitted*] D.
3471 no me matara mi error] D.
3472 *Following this line* D *adds six lines:*

yo estoy segura, y vos mal
informado en mis disgustos;
y quando no le estuviera,

matandome un puñal duro,
mi error no me diera muerte,
sino mi fatal influxo.

3489–90 fuesse, os le di; y pues sirvio/ ya en vuestro abono, no dudo] D.
3493 acaso *for* despojo] D.
3494 voluntad *for* dádiba] D.
3495 mi *for* esta] D.
3498+ *Stage direction lacking*] D.
3499 porque] D.
3501+ "Quiere tomarla la mano, y ella lo resiste."] D.
3507+ "Quitale el puñal a Otaviano, que sera el del Tetrarca."] D.
3511+ *Stage direction lacking*] D.
3512 en ti *for* os] D.
3514 huyre, puesto el iracundo] D.
3515 acero *for* filo] D.
3518+ "Arroja el puñal Mariene, entrase, siguela Otaviano, y sale el Tetrarca."] D.
3520 mismo *for* propio] D.
3522 busco *for* goçó] D.
3524 que *for* Y yo] D.
3546 ilustres *for* nobles] D.
3547 Y *omitted*] D.
3558 tarde *for* y vien] D.
3562–3632 *In* D *the following variation:*

que siendolo, no lo supo,
desdichado del dichoso,
que ya, sin serlo, lo tuvo
por cierto; y pues que me pone
en mi mano mis influxos,
a ellos muera antes que.
*Dentro* OTA. Espera, aguarda.
TET. Pero que escucho!

*Salen* MARIENE, *y* OTAVIANO.

MAR. Sera en vano, pues primero
que logres; mas Cielos justos,
que es lo que miro!
TET. Turbado he quedado.
OTA. Yo confuso.
MAR. Yo confusa, yo turbada,
pues entre dos daños, de uno

doy en otro, y ya no se
qual dejo, ni qual procuro,
qual pierdo, o qual solicito,
qual hallo, al fin, o qual busco;
pues siempre tengo peligro,
quando paro, y quando huyo.

TET. Vista tu fuga, a tu honor
este pecho sera muro,

OTA. No temas, que de tu vida
este pecho sera escudo.

TET. Cumple, pues, lo que prometes.

OTA. Assi veras si lo cumplo.

MAR. Ay de mi! para salir
de tan justo, o tan injusto
duelo, estas luzes apague.

*(Apaga las luzes, y los dos se buscan.*

TET. Adonde, Cesar perjuro,
te escondes?

OTA. Yo no me escondo.

TET. No te encuentro, aunque te busco.

MAR. Tente esposo, ay infelize
de mi!

OTA. A mi violento impulso
muere, aleve.

TET. Aunque la espada
perdi, con aqueste agudo
puñal moriras. *(Encuentra a Mariene, y hierela.*

MAR. Ay triste!
tened piedad, Dioses justos,
pues aqui muero inocente.

OTA. Que es lo que oygo!

TET. Que escucho!

OTA. Vengara su muerte.

*Salen* TOLOMEO, *y* SOLDADOS.

TODOS. Entrad
todos, que es grande el tumulto.

*Salen las* DAMAS, *y traen luzes.*

TODAS. Llegad todas.

*Sale* LIBIA.

LIBIA. A tan grande
estruendo, romper no escuso
mi prision.

*Salen* ARISTOBOLO, FILIPO, *y* POLIDORO.

ARIST. *y* FIL. Señor, que es esto?
POL. No aver gozado el indulto
Mariene, como yo.
OTA. Dar muerte al hombre mas bruto;
mas barbaro, y mas sangriento,
que ha eclipsado el Sol mas puro.
TET. Yo no la he dado la muerte.
TODOS. Pues quien?
TET. El destino suyo,
pues que muriendo a mis çelos,
que son sangrientos verdugos,
vino a morir a las manos
del mayor Monstruo del Mundo.
ARIST. El mayor Monstruo de los Zelos
son siempre.
TET. Porque ninguno
de mi la vengança tome,
vengarme de mi procuro,
buscando desde essa Torre
en el ancho Mar sepulcro. *(Vase.*
OTA. Seguidle todos, seguidle.
TOL. Desesperado, y confuso,
se arrojo al Mar.
OTA. Retirad
aquesse Cielo caduco,
y diga en su monumento,
para los siglos futuros
el Epitafio, que yaze,
desfigurado su bulto,
la beldad mas milagrosa,
muerta por zelos injustos.
TOL. Libia, tu mano se expuso
de libertarte.
LIB. En llorando
de Mariene el infortunio.
FIL. En que acaba la Tragedia,
donde se cumplie su influxo.
POL. Como la escrivio su Autor,
no como la imprimio el hurto
de quien es su estudio echar
a perder otros estudios.

# *Variants and Description of the Eighteenth-Century Manuscript Copy*

In the upper left corner of the manuscript is the number "M 67"; in the upper right corner, "Mejor que la impressa." The presence of guide words at the bottom of both rectos and versos suggests preparation of the manuscript for printing.

The title is written as follows: "El tetrarca/+/Comedia Famosa/ Del mayor Monstruo del mundo/ De D. Pedro Calderon." Next is the word "Personas" with the list of characters, followed by "Jornada 1ª."

ACT I

*Stage directions before line* 1: "Salen los Musicos, y mientras cantan van saliendo los que pudieren de acompañamiento. Filipo, y Liuia, y Sirene llorando, y detras el tetrarca, y Mariene."

5–22 fragrancia vierten las flores/ al contacto despues/ y con su vista las aves/ dizen en mudo tropel.

33 esposa *for* gloria.
53 puedan.
66 un Sol.
78 y *omitted.*
109 a todos adelanta.
132 traes *for* te as.
172 y *for* ya.
192 prevista *for* perbista.
207 oy *for* y.
216 de lo que han dicho de mí.
246 del *for* de.
257 las hondas.
291–92 *In parenthesis.*
300+ "Vasse."
302–3 *Omitted.*
302+ "Vasse."
329 el *omitted.*
333 Al Piro *for* a Egito.
337 que labro para el, silva . . . *(last word illegible)*.
357–76 *Written in right margin.*
377–98 *Written in right margin.*
433+ "Llevan a Tolomeo."
504 y *for* ya.

505 diga *for* dirás.
541 a Antonio.
544 a Aristobolo.
581 hablo *for* hablé.
660 se entró.
688–92 *Written in the right margin.*
725 a prission.
758+ *Lacking.*
762+ *Lacking.*
767+ *Lacking.*
803–16 *Written on a small, separate sheet of paper superimposed on Folio 12 r. A mark in the margin indicates where the lines are to go.*
807 mas *for* vna.
808 su fin no *for* su triunfo.
829–44 *Covered by a small sheet of paper bearing lines 303–16.*
854 me aborrecio.
880–82 *Omitted.*
896–97 *Written in right margin.*
897 pero señora su esposo.
901–22 *Written in right margin.*
904 y *omitted.*
926 tuerzas.
927 le *crossed out.*
928+ "Vanse."
934 las nuevas.
941 la ciencia *written at end of this line; crossed out and written before line 943.*
946 acondiciona dos.
955 y de el *for* y el.
971 perfecto *crossed out and* prudente *written above it.*
973 el *for* al.
994 obelisco.
1021 corte.
1026 embotarle.
1029 este *for* a que él.
1040 y los ignore el olvido.
1045–53 *Boxed off, a vertical line through the center. A small sheet of paper has been inserted with the following lines written in another hand:*

que de purpura manchado,
y entre flores escondido,
tanto me estremeces tanto
en verle me atemorizo,
que muda y elada eres,

torpe el labio, el pecho frio
que soy de aquestos jardines
estatua de marmol visso.
Mas rompiendo a mi silencia
las prissiones y los grillos
con que en carceles de yelo,
el temor la ha tenido,
quiero declararme, y quiero.

*At the end of these lines is a note which reads:* En lugar de los nueve versos atajados dice estos la original de Calderon.

1056 colijo *for* yndiçio.

1059 *Everything after* Dejo *lined out. In right margin in another hand:* a una parte si es bien.

1066–67 *Lined out; replaced by the following lines in another hand in the right margin:*

En mi argumento prosigo
sin tocar si es bien o mal
tan poco aviendo creido,
que por verdad o mentira,
ya tu en esta parte os dicho
que el prevenirlo es cosa dura,
esperarlo desatino
y providencia discreta
no esperarlo y prevenirlo,
y assi esto aparte dexando,
buelve a mi Argumento y digo,
si esse sangriento puñal.

1079 Si *omitted.*
1083 camaradas.
1090 bien que una vez encendido.
1100 nunca que *for* el que no.
1123 le *for* lo.
1123+ *Lacking.*
1130 moriria.
1131 que he de aborrecer otro. *This line is crossed out and in the right margin, in another hand:* que otro podra aborrecer.
1137 y assi.
1147 quieres.
1160 y mis.
1166 accesso *for* estilo.
1170+ "... y salen el capitan y soldados."
1179 a Antonio.
1208+ Fin de la 1ª J.ª. *The* aprobaciones *are lacking.*

## ACT II

1209 *Before this line:* Jornada 2ª. *The pious inscription and the title of the play are lacking.*
1226+ "el soldado" *omitted.*
1242 hiciera.
1253 fue.
1263 *Ascribed to Soldado* 2º.
1269 o *omitted.*
1271 el *omitted.*
1275 a Antonio.
1276 a *omitted.*
1292 los *for* les.
1296+ caxas y sordinas.
1299 *Written in right margin in a different hand.*
1308+ *Lacking.*
1317+ "Tocan caxas y salen soldados y el Tetrarca."
1328+ "tiene."
1344+ "Alarga la mano y el Thetrarca al vesalla mira las [*sic*] otra que tiene en el retrato."
1351+ "las espaldas."
1362 de los que.
1367 ocultó.
1372 si *for* sé.
1390 escarmientas.
1401 comun *for* con vn.
1404+ "Vasse azia la puerta del theatro."
1413+ "Al entrarse Octauiano va a darle el Thetrarca con el puñal, y clavalo en el retrato y el vuelve."
1432+ "Tomale el puñal."
1434 que el que me agravia, me venga, ola.
1434+ *Lacking.*
1446+ "Vasse. Corren una cortina, sacan dos soldados a Polidoro paseandole."
1492 he traydo *for* traeré.
1507+ "Buelve el Soldado 2º con recado de escrivir."
1514 lleguеme.
1515+ *Everything after* "dicho" *lacking.*
1522+ "Danle los dos."
1537–38 *The second line (1538) is crossed out and* aquestos picaronazos *is written in another hand above line 1537.*
1538+ "Detras de ellos."
1545 ¿El que? *for* ¿El Te qué?
1566 fuera.

1570+ "Vanse."
1571 ya *omitted.*
1577 parezca.
1593 y *for* ni.
1620 aver.
1645 abusso.
1660 que *for* quién.
1661 mi esposa, porque el mostrarla.
1662 fuera.
1672+ "caxas a marchas."
1708+ "Quiere el Thetrarca quitarle la espada."
1764 y *for* oy.
1858 cayera.
1866 a *lacking.*
1941+ "Vanse. Tocan caxas y salen por un lado Aristobolo. y soldados y por otra Mariene y Damas."
1989 *Following this line three lines are crossed out and marked* "no":

TOL. Ya pues que solo me veo,
averiguar determino,
por que senda, u que camino hallar pueda.

1989+ "Tocan caxas y se van Mariene, Aristobolo y Soldados, y quedan Tolomeo y Libia."
1990–2033 *Written in a different hand on a sheet of paper inserted between Folios 28 and 29.*
2001 tuyo *for* suyo.
2002 pues *for* que.
2034+ "en el" *for* "al."
2047+ "Entranse y salen."
2058 dudas os esperan.
2071 trais.
2083 quieres *for* eres.
2182 buelvo *for* bengo.
2201+ "Rompen los dos el papel y sale Mariene."
2218–25 *Written in another hand in the right margin.*
2224 a darle la luz que ha en el sol.
2266–75 *Written in another hand in the right margin.*
2270 de hazer.
2286 y *omitted.*
2291–92 *Written in another hand in the right margin.*
2296 *Crossed out, illegible. Correct reading written above.*
2325–2427 *These lines are boxed off for omission. The new lines for the rest of Act II are written in another hand on two folios inserted between Folios 33 and 34:*

fuerte agravio, pena fuerte!
quando yo tu libertad
trato, y a imperio de nieve
doy Semiramis del agua,
Babilonias de vajeles,
quando compitiendo amantes
nuestras finezas alegres,
mas no lo son para mi?
despues que vibes ausente,
adorando estoi tu sombra,
y a mis ojos aparentes,
por burlar mi fantasia
abrase el aire mil vezes,
tu en una oscura prision
funesto, y misero albergue,
para abrazar mis desdichas
estas trazando mi muerte,
o te quiero, o no te quiero.
si no te quiero, que tienes
que perder en mi, aunque mueras
pues poco o nada se pierde
en perder una muger,
quando ni estima ni quiere,
si te quiero o no por que
despues de muerto pretendes
mi muerte, yo sabré, ay cielos
matarme yo, si te mueres,
que quien llega a perder antes
lo que ama y no lo tiene
tanto que pierda la vida,
no puede decir que quiere
luego aborreciendo yo
o que viendo, de una suerte
ofender mi vanidad,
a mi ingratitud ofendes,
matarme intentas, matarme
es, por influjos zelosos,
el mayor monstruo del mundo
mi vida amenaza en este
paramento enquadernado
que muchas vidas contiene
blanca beldad de los Dioses,
mentira azul de las gentes,
y tu de sus astros puros

que solo un suspiro mueve
cumples el rigor que anuncia
la desdicha que prometen
que eres tu el mayor monstruo
indicios das cuias crueles
armas seran el fatal
azero que al lado tienes.
Ay de mi que repetido
el dolor una y mil vezes,
lo que antes fue en mis acciones
sentimiento solamente,
se va passando a venganza,
pues de suerte, pues de suerte
tu desconfianza en mi
ha trocado el accidente
que ya a pesar del amor
los rigores, y desdenes
te quieren hechar del pecho
propio afecto de mugeres
pasan de un extremo como
en los males, u en los bienes.
Mas que digo, que no soi
yo muger de las que deve
la real sangre excluirse
de lo comun de las leyes,
y asi en dos partes constante
dudosa, e indiferente
como muger ofendida,
y como Reina prudente
muger cumplire conmigo
en quejarme, y ofenderme
Reina cumplire con todos,
en no mostrar que lo siente
mi pecho, y pues mis desdichas
fin determinado tienen;
mas rigor, y venganza
del cielo, el hado, y la suerte,
con puñal, monstruo, y este azero
esta prevenida muerte.

*The end of the act is marked by the words* "Fin de la 2ª Jornada."
*The following commentary is written in another hand:* "En lugar de lo rayado al margen de los folios *33* y *34* dize que está en estas dos ojas la original de Calderon."

## ACT III

*The pious inscription and title are lacking. The act is introduced by the words* Jornada 3ª.

2428 *Before this line stage directions read as follows:* "Suenan instrumentos musicos en una parte y en haviendo representado los versos, suenan caxas destempladas y dice dentro Mariene los suyos, y luego en medio suenan algunos tiros y chirimias, y sale Octauiano, capitan y soldados."

2453 *Following this line one line is added:* Sacro el Laurel, pacifica la oliva.

2433+ "caxa."

2438+ *Omitted.*

2441+ "Hazen salua. . . ."

2458 ymperio *for* yugo.

2480+ "Vanse los soldados. Musica."

2482 oy de vozes en una. *First three words crossed out and* musica *written above them.*

2486 festiva *for* altiba.

2486+ "Musica y voz."

2490–2510 *Omitted in the MS. copy. These lines are written in another hand on a separate sheet of paper and inserted between Folios 34 and 35.*

2505+ "caxa."

2510+ "Con esta repeticion salen musicos, y Tolomeo con una fuente, y en ella unas llabes, y Filipo con otra, y en ella un Laurel, y por otra Mariene de luto con un velo en el rostro, y las mujeres que pudieren."

2517+ "Toda la copla con la musica" *(written in another hand).*

2532 *Original reading crossed out, illegible. Corrected version written in another hand below the line.*

2536+ *Omitted.*

2550 su *for* el.

2556 si siento.

2570 y *for* ya.

2580–87 *Written in a different hand on a separate sheet of paper inserted between Folios 36 and 37.*

2600 que eres discreto, y seras reducido.

2642 las satisfaciones.

2663 que el *for* quál.

2711 a *for* de.

2741+ "Vanse todos y queda Polidoro y dos soldados."

2785 dejará.

2800+ "Vanse y salen Mariene y el Tetrarca con acompañamiento."

2829 De mi te fia.
2842 *Following this line four lines are added in the right margin in another hand:*

cuya vida el Ave sea
que en sagrado mauseolo
nace, vive duro y
hijo y padre de si propio.

2845 *Original reading* una vida *crossed out and in left margin* tu vida.
2857 tirano *crossed out and* ingrato *written in another hand in the right margin.*
2859–78 *Written in another hand in the right margin.*
2861 los afanes *for* las desdichas.
2862 ultima linea de todos.
2865 porque en el mundo no ay.
2871 fuera desto *for* Demas de que.
2874 las causas con que me enojo.
2883 quien me matase, sino.
2919 Ydumeo.
2937–70 *Omitted.*
3005 y *for* ni.
3010 ni *for* ver.
3018 el *omitted.*
3029 y no me sigas porque.
3030 *Following this line two lines are added:* con tanto temor te hablo,/ con tanto pavor te oygo.
3038+ "Vasse y cierran la puerta por de dentro."
3051 le.
3064+ "Llega a la otra puerta que estaba como se dice y el haze las acciones que significa."
3065–78 *Omitted.*
3090+ *Omitted.*
3144 a mi *for* en mí.
3147 y me tiene *for* encerrada.
3160+ 'Ruido dentro."
3161 buelve Libia a retirarte.
3478+ Sale Tolomeo *crossed out.*
3197 rendida *for* perdida.
3198+ "Ponese Tolomeo en medio."
3217+ "Ponese en medio Filipo, y huye Tolomeo, y el Tetrarca tras el, y salen por la otra puerta."
3219+ *Lacking.*
3225+ "Sale huyendo Tolomeo atravesando el tablado."
3232 aun *omitted.*

3234+ "Vasse. Buelve a salir por otra puerta Tolomeo huyendo de Octauiano."
3238 a haver.
3260 cuesta *for* arriesga.
3350+ "Vanse y sale Sirene con luces y las Damas que puedan con azafates, y Mariene luego."
3370 desnudar.
3373 que rescata tu cavello.
3374 los adornos *for* las prisiones.
3400+ "Al paño Octaviano y Tolomeo."
3410 *Omitted.*
3421 *Stage direction,* "Canta Sirene," "*followed by the line,* Si te quisiere matar.
3423+ "Vee a Octaviano y dexa caer el azafate y huye."
3432+ "Vanse huyendo dexando caer los azafates."
3434+ "Desembozasse Octaviano."
3435 MAR. Ay de mi infeliz!
3470 algun *for* vn.
3515 filo a mi pecho, ay de mi!
3516–19 el puñal es esse, cielos,
que siempre fatal induxo
mi estrella contra mi vida
o riguroso o sañudo
ministro ya con mas causa
de dos enemigos huyo.
OCT. Seguirete.
TET. Quien
3519+ *Omitted.*
3523–60 *Written in another hand on a separate sheet inserted between Folios 49 and 50.*
3564 mis agueros en anuncios.
3568+ *Lacking.*
3580+ *Lacking.*
3582 que *for* si.
3583+ "matará la luz."
3592+ *Lacking.*
3595+ *Lacking.*
3610+ *Lacking.*
3614 gustos *for* triunfos.
3615–20 *Omitted.*
3621 y pues no puedo vengarla.
3627+ "Fin."
3629–32 *Omitted.*
*Approval of the* fiscal *and* censor *lacking.*